シゴフミ

～Stories of Last Letter～

POSTAGE

――――『飛べない蝶』

シゴフミ
～Stories of Last Letter～
POSTAGE
雨宮諒
イラスト●ポコ
キャラクター原案／黒星紅白

Contents

design/Yoshihiko Kamabe(ZEN)

僕らは脆弱で、とても怠惰だ。
限りある生だと知りつつも、
ハツカネズミのように忙しなく生きることを好まず、
その実、ふとしたきっかけで、
まるで何かの冗談のようにあっけなく命を落とす。
僕らは不器用で、とても愚かだ。
誰かに伝えたい想いがあったとしても、
くだらないプライドや挫けた心が邪魔をして、
結局、言葉にすることもできず、口を噤んで立ち尽くしてしまう。
後悔は先に立つことを知らず。

全てを手遅れにしてしまう『死』は、
そこかしこに転がっているというのに――。
でも、安心して欲しい。
世界は気紛れだけれど、
時に、ひどく優しい。〝奇跡〟を
用意してくれているのだから。

奇跡の体現者は少しばかり
奇妙な姿をしている。
がま口の鞄を肩から下げ、
頭には少し大きめなケピと呼ばれる
帽子を被った、昔の映画に出てくるような
レトロな郵便配達夫を思わせる
格好をしているのだ。
そして、その手に握られているのは、
身長以上もある長大な杖。

ある時、ある少年が、奇跡の体現者へと問いかける。

「――君はいったい誰？」

奇跡の体現者は平坦な声で、その問いかけに端的に答える。

「私の名前は文伽」

そして、手にしている長大な杖を僅かに持ち上げ、ついでのように付け加える。

「こっちは相棒のマヤマよ」

素っ気なくはあるけれど、彼女の声は澄明で、耳に心地よく流れ込む。

ある時、ある少女が、奇跡の体現者へと問いかける。

「――あなたはいったい何？」

文伽は静かな眼差しで、少女を見つめ返してこう告げる。

「私は単なる郵便配達員よ。あなたに手紙を届けにきたの」

でも、単なる郵便配達員にしては特異すぎる感がある。なぜなら彼女が届けるのは〝死後文〟。

それは、死者が綴った手紙なのだから。

『文伽はさ、もう少しにこやかにするべきだよ。

いつも無口で澄ましてるから、皆も恐がって、なかなかシゴフミを受け取ってもらえないんだよ？』

「それじゃあマヤマはいっそのこと、喋らずにただの杖のフリをしているべきね。

喋る杖の存在なんて、警戒されるだけだもの」

　文伽とマヤマはそんなことを言い合いながらも、
今日も死者の〝想い〟を届けに、世界を望み、巡り、回る。

僕らはリアリストで、とてもロマンチストだ。
奇跡の物語を鼻で笑いつつも、奇跡の存在を根っこの部分では信じている。だから、
奇跡を体験した者たちは誰もが、シゴフミを胸に掻き抱き、時には笑い、
時には涙を流しながら、文伽へとこう言葉を紡ぐ。
　今は亡き家族の。
　今は亡き友人の。
　今は亡き恋人の。
　最後の〝想い〟を届けてくれて、本当にありがとう。
「──お礼なんか必要ないわ。これが私の仕事だもの」
　文伽は帽子をぐいと目深に被りながら、
そう淡々と答えるが、
その声音はどこか満足げだ。
『文伽、もう次の仕事に
かからないといけない時間だよ！
早く早く!!』

「相変わらず気忙しいわね。

マヤマのスケジュール管理、なってないんじゃない？」

『あぁっ、また僕のせいにする！　僕のスケジュールは完璧だよ!!

それを文伽がメチャクチャにしてるんじゃないか!!

今回だって文伽があんなこと言い出すから──』

僕らは往々にして幸福な傍観者。

これは、生者の物語。

これは、死者の物語。

これは、奇跡の物語。

今この瞬間さえも花開く、静かな奇跡の物語──。

――それは凄惨《せいさん》な事故だった。

盛り土の上に敷設《ふせつ》されたレールから弾《はじ》き出されるようにして、郊外を走るその特急列車は脱《だっ》線《せん》・転覆《てんぷく》した。先頭車両から三両目までは右側面を荒れ地に接する形で完全に横倒しになり、脱線するも横転だけは何とか免れた四両目と五両目からは、乗客たちの悲鳴やすすり泣く声が、混沌《こんとん》とした旋律となって周囲に陰々と流れ出していた。

被害が最も甚大なのは二両目のようだった。先頭車両と三両目に挟まれる形となったその車両は、衝撃《しょうげき》をもろに受けてひしゃげ、先鋭的《せんえいてき》なアートのように原形を止《とど》めることを放棄していた。窓に嵌《は》められた強化ガラスはほとんどが割れ砕けており、無事だったものには赤黒い液体がべっとりとこびり付いていた。負傷者は数知れず出ていることだろう。そして、きっと、命を落とした者さえも……。

月城葵《つきしろあおい》はその事故現場の様子《ようす》を、少し離《はな》れた草地で足を投げ出すようにして座ったまま、ぼんやりと眺めていた。やがて葵は腕組みをしてウーンと一つ唸《うな》った後、事実確認《かくにん》をするように、ぼそりと呟《つぶや》く。

「……やっぱ死んだのか、わたし」

そうとしか考えられなかった。

そうじゃない方が不自然だった。

自分はあの特急列車に乗っていた。それは間違いない。さっき確《たし》かめたところ、特急列車の名前は葵が乗車していたものに違いなかったし、腕時計は自分がまだ車内で目的地を目指しているはずの午前十一時四十八分を示していた。

——運がなかった。

ただそれだけのことだと思う。

乗車してからの行動を、葵はつらつらと思い返してみた。

葵は最初、五両目の車両に乗っていた。車窓からは春の陽射《ひざ》しが心地《ここち》よく降り注ぎ、五分毎《ごと》に睡魔《すいま》が瞼《まぶた》を重くするという、何とも陽気がいい一日。

葵は眠気のためにふんわりとした思考の中、ポケットから煙草《タバコ》を取り出し、火をつけようとしていた。しかしその時、誰《だれ》かの視線を感じ取り、そちらに顔を向けたのだ。

視線の主は、通路を挟んだ席に座る、サラリーマン風のおじさんだった。眉間《みけん》に皺《しわ》を寄せて半ばこちらを睨《にら》んでいたが、葵と目が合うと、ふいと顔を逸らしてしまう。その口許《くちもと》は何事かブツブツと呟いているようだったが、内容は聞き取れなかった。まあ、良く言われているわけではないようだと、雰囲気でわかる程度だ。

普段《ふだん》ならムッとなる場面だが、陽気《ようき》のおかげで腹は立たず、眠気のせいで頭がユルくなっていた葵《あおい》は、ふと思い至った。

（——ああ。ここ、禁煙車か）

煙草《タバコ》を吸うのを諦《あきら》めて眠ってしまうのも悪くないなと思ったが、やはりどうしても口許《くちもと》が寂しい。葵は仕方なく、ポケットに煙草をしまい直すと、席を立って前の車両へと移動していった。

いま思えば、電車がやけに揺れることに不審《ふしん》を抱くべきだったかもしれない。

スピードが出すぎているんじゃないかと、頭の隅で考えるべきだったかもしれない。

けれど。

葵は訝《いぶか》ることもなく、二両目の車両が喫煙車両だと認めて、安堵《あんど》すら覚えた。葵は二両目にある空席を見つけて腰をかけると、煙草を取り出そうとポケットに手を伸ばす。その刹那《せつな》、車窓に目をやっていた葵は、人生最後の後悔をすることとなった。

あっ！　と声を上げた葵に、乗客の幾人かが視線《しせん》を注いだ。葵は思わず頭を抱える。

——危ない！

その口許からは、声にならない呻《うめ》き声《ごえ》が。

（…………あっぶなー。わたし、まだ制服のままじゃん）

危ない危ない。

危険危険。

車窓に映った自分の姿を目にしなければ、気付かないままだったかもしれない。葵の身につけている高校の制服は、この近隣《きんりん》では珍しくなった、オーソドックスなセーラー服である。ただでさえ目立つというのに、こんな公共の場で煙草なんか吸おうものなら、すぐさま見咎《みとが》められ、学校に連絡が行ってしまう。

冗談《じょうだん》じゃなかった。

実はつい先程まで、学校に携帯電話を持って来ていたということで、先生に呼び出されてお小言を聞かされていたのだ。このうえ煙草も吸ってます、なんてことがバレたら、下手《へた》すれば退学だ。学校生活なんかにこれっぽっちも未練なんてないが、約束の日まで日常に波風を立てないようにするという誓いがある以上、退学処分なんて食らうわけにはいかない。

（おじさんに見られちゃったけど……まあ、アレは大丈夫か。典型的な事なかれ主義っぽかったし。わざわざ学校に電話なんて――しない、よね？　多分《たぶん》）

そんなことを考えているうちに、先程の睡魔《すいま》がまた忍び寄ってきた。葵はふぁ、と大きな欠伸《あくび》を洩《も》らすと、瞼《まぶた》が自然に落ちてくるのに任せ、ゆっくりと瞳《ひとみ》を閉じる。

……まぁいいや。

煙草は吸えないことだし。

このまま。

眠っちゃ……お…………。

——世界がブレたような衝撃《しょうげき》を感じたようにも思う。甲高《かんだか》い悲鳴のようなブレーキ音を聞いたようにも思う。気付けば葵《あおい》は横倒しになった電車の傍《そば》で、呆然《ぼうぜん》と突っ立っていたという次第である。

葵はほぅと溜息《ためいき》を洩《も》らした。

（……そりゃまあ、運はいい方じゃなかったけどさ。こんなレアな事故に巻き込まれるとはねぇ）

最初こそ、「もしかして事故の拍子に窓から投げ出されて、奇跡的に無傷で助かったとか？」なんて楽観的《らっかんてき》なことを思ったものだが、その考えはすぐさま霧散《むさん》した。葵の身体《からだ》にはスリ傷どころか、埃《ほこり》や泥の汚れさえも一切付着してなかったのだ。眠っていたはずの自分が無意識《むいしき》のうちにウルトラCの受け身をとったとも思えず、すぐさま異常な事態だということは知れた。葵はとりあえず電車の名前を調《しら》べ、腕時計で時間を確認《かくにん》。やがて少し離《はな》れた草地に腰掛け、全《すべ》ての状況を判断した上で、先の結論《けつろん》に達した。

——自分は、死んだのだ。

「月城《つきしろ》葵。享年十六、か……」

死は驚《おどろ》くほどすんなりと受け入れることができた。特別な感懐《かんかい》を抱くでも悲嘆に暮れるでもなく、単純な事実として納得できた。

自分のことを異常だとは思わなかった。いやむしろ、こういった思考回路こそ自分らしいとさえ思う。

（……あぁ、煙草《タバコ》吸いたいな）

葵は心の中でそう呟《つぶや》き、大した期待もせずにポケットの中を探った。すると意外にも、煙草の箱がひょこりと顔を覗《のぞ》かせる。そういえば腕時計もしたままだし、生前と変わっている部分を探す方が困難《こんなん》に思える。自分が死んだことにさえ気付けずに現世を彷徨《さまよ》う幽霊《ゆうれい》がいる、といった話は聞いたことがあるが、あながち外れていないのかもしれない。

葵は煙草を口に咥《くわ》えると、これまた何も変わらないライターで火をつけ、ゆっくりと煙を吸い込む。

魂にも記憶《きおく》があるのか。

煙草の味はいつも通りほろ苦く——普段《ふだん》と同じく、少しだけ、死の香りがした。

そうやって、時間をかけて一本を燻《くゆ》らせながら、さてこれからどうしたものかと考えていた時だ。葵はふと何かの気配《けはい》を感じ、肩越しに背後を振り返った。いつの間に現れたのだろうか？

そこには一つの人影《ひとかげ》があり、葵のことをジッと見下ろしていた。

その人物は少しばかり変わった格好をしていた。がま口の鞄《かばん》を肩から下げ、頭頂部が平らな鍔《つば》付きの帽子を被《かぶ》った、昔の映画に出てくるようなレトロな郵便配達夫を連想させる姿をしているのだ。その格好だけでも充分に目立つものはあるが、何より人目を引くと思われたのは、その人物が手にしている大きな杖《つえ》である。身長よりもさらに長いその杖には、時計の役目を果たすのであろう、アナログの文字盤《ばん》が嵌《は》め込まれている。

葵《あおい》は目を瞠《みは》りつつも、自分を見つめ続ける人物と視線《しせん》を交わした。

その人物が有する端整《たんせい》な顔立ちよりも、静かに澄《す》み渡る夜空のような眼差《まなざ》しが、やけに印象的だった。葵は思わず、「うわ美少女だ……」と、煙草《タバコ》を口に咥《くわ》えたまま小さく呟《つぶや》く。一見したところ自分と同い年くらいだろうと思えたが、彼女の纏《まと》う落ち着いた雰囲気からは、年不相応と言えるほどに臈《ろう》たけた感じを受ける。

突然の登場と変わった格好のために完璧《かんぺき》にペースを相手に握られた観《かん》がある。少しばかりそのことが癪《しゃく》に障った葵は、極力平静を装いながら、向こうが口を開くよりも先に自《みずか》ら話しかけてみた。

「ハイセンスね、その格好。わたし的には右手の杖がポイント高いかな?」

するとその人物は微《かす》かに眉《まゆ》をひそめ、口を開く。

「……誉《ほ》めたりしないで。マヤマが調子《ちょうし》に乗るから」

淡々とした物言いだったが、その容姿と同様、声にも澄み渡るような美しさがあった。着飾れば今とは違う意味で目を引く存在となるだろうに、何でまた配達夫の格好なんてしてるんだろうか。

「マヤマ？」

葵《あおい》はとりあえず、彼女の口から出てきたその単語を反芻《はんすう》する。と、少女が手にしている杖《つえ》を、すっとこちらに押し出してきた。

葵が「ん？」と小首を傾《かし》げた、その時である。

『ありがとう。君もそのセーラー服、よく似合ってるよ？』

そんな、少年っぽい弾んだ声が聞こえてきた。どこからかと問われれば——杖から。

………杖から？

葵は思わず口からポロリと煙草《タバコ》を落としたが、すぐさまかぶりを振って否定する。

いやいやいや、そんなまさか。

まあ確《たし》かに今はぶっ飛んだ状況下にあるわけだが、自分は言葉を喋《しゃべ》る杖にセーラー服姿を誉《ほ》められて、〝ポッ〟と頬《ほお》を染めてしまうようなビックリ人間では、ナイ。

適応力よ追いつけ。

理論的《りろんてき》な説明よ来たれ。

眉間《みけん》を押さえてウーンと唸《うな》っていた葵は、やがて人差し指をぐるぐる回しながら言った。

「えぇっと……クールな表情したまま腹話術なんて、やっぱハイセンスね？」

『腹話術か。それいいね。文伽《フミカ》は無口だから、左手にお喋りな人形を持って、その人形で話せばいいんだよ。どう、文伽？　いいアイデアじゃない？』

「最高に面白《おもしろ》そうね」

『……ごめん文伽。もちろん冗談《じょうだん》だからそんな目で睨《にら》まないで』

そのやりとりは残念ながら腹話術のもたらしたものとは到底思えなかった。葵は確認《かくにん》するように訊《たず》ねる。

「えっと……喋ってるわよね、それ」

「ええ」

「ハイセンスな機能《きのう》ね、それ」

「そう？」

「いったい何なの、それ」

「私の相棒。名前はマヤマ」

端的に答えを返してくるその少女は、そこで一拍だけ間を挟んだ後、ついでといった感じで付け加えた。

「――マジックアイテムよ」

そのファンシーな単語に反射的に頬が引きつってしまったのは、まあ仕方のないことだと思う。

葵はかなりの労力を要して何とか言葉を紡《つむ》いだ。

「いや、まあ、なんつーか…………そいつはとんでもなくナンセンスね？」

その少女は文伽《フミカ》と名乗った。マジックアイテムなるものを持っているので、アニメであるような魔法《まほう》少女か何かの類《たぐい》かと訊《たず》ねてみたところ、

「この格好、魔女に見える？」

と、あっさり否定されてしまった。

彼女は郵便配達夫の格好が示す通り、手紙を届ける仕事をしているのだそうだ。マヤマなるファンシーな喋《しゃべ》る杖《つえ》は、その仕事のサポート役として、スケジュール管理等をしているらしい。

手紙を届けると言っても、もちろん、普通の年賀ハガキを配るようなことはしない。

文伽が届けるのは〝死後文《シゴフミ》〟。

死んだ人間からの手紙を、現世に届けるのである。

――わお。ハイセンス。

「現世に想《おも》いを……手紙を届けたい人、いるでしょう？　私が届けてあげるわ。必ず」

文伽は隣《となり》に腰掛けると、葵《あおい》の目をひたと見つめてそう言った。

葵は新しい煙草《タバコ》を咥《くわ》えて火をつけ、ふぅ、と空めがけて煙を吐き出す。

（手紙を届けたい人、ねぇ……）

一人だけ、思い浮かんだ。実はその人物とこれから会う約束をしていたのだ。

葵が「うん、いるね」と答えると、マヤマが訊ねてくる。

『その人の名前、教えてくれる？』

「綾瀬梨花《あやせりか》」

『アヤセ・リカさん、と。名字が違うし、家族の人じゃないよね？』

「もちろん」

『友達かな？』

「そんなちゃちな存在じゃないわよ」

『それじゃ、親友？』

「そんな煩《わずら》わしい存在でもない」

『だったら……』

「半身よ」

その言葉に、マヤマは困惑したように押《お》し黙《だま》り、文伽は眉宇《びう》をひそめた。

葵は煙草を吹かして死の香りをその身に纏《まと》うと、泰然と呟《つぶや》く。

「――わたしの半身なの、その子」

そんな断片的な答えで納得がいくはずもないだろうが、葵はそれ以上の説明を完璧《かんぺき》に放棄した。するとその様子《ようす》をじっと眺めていた文伽が、やがて肩に下げている鞄《かばん》から便箋《びんせん》とペンを取り出し、葵へと差し出してくる。どうやらそれを使ってシゴフミを書けということらしい。疑問よりも仕事を優先《ゆうせん》したという形だが、マヤマも異論《いろん》はないらしく、口を挟んではこなかった。

（……詮索《せんさく》好きじゃないとこは、まあ、好感持てるかな）

そんなことを考えつつ、葵《あおい》は差し出された便箋《びんせん》とペンを受け取る。

手紙なんてものは、書き出しさえ決まってしまえば案外すらすらと書けるものである。それほど悩むこともなく便箋を文字で埋め尽くした葵は、それを文伽《フミカ》へと手渡した。文伽はその便箋を封筒にしまうと、白く縁取《ふちど》りされただけの、真っ黒な切手を貼《は》り付ける。その切手はシゴフミ用の特別な切手なのだそうだ。

文伽は立ち去る直前、こう訊《たず》ねてきた。

「ねぇ。これがあなたからの手紙だと証明できるようなもの、ない？」

その質問の意図はすぐ知れた。見知らぬ人物がいきなり「死者からの手紙です」なんて言ってきても、悪質な悪戯《いたずら》か、頭のおかしい人だと思われるに決まってる。仕事を全《まっと》うするためにも、相手に本物だと信じてもらえるような材料があった方がいいのだろう。

葵は悩むこともなく、ある言葉を文伽に教えた。

それは魔法《まほう》の言葉だ。

葵と梨花《りか》だけに通じる、秘密の合い言葉。

——そう。

全《すべ》てはあの言葉から始まったんだ。

あの言葉がきっかけとなり、全ての歯車が噛《か》み合い、世界が動き出し、そして——
終わりの始まり。
約束の日が、決まった。

❦　❦　❦

読み終わった小説を膝元《ひざもと》に置くと、綾瀬《あやせ》梨花は組んだ両手を前方に押し出すようにして、「んんっ」と伸びをした。かなりの時間同じ体勢のままでいたため、関節が軽く悲鳴を上げている。そのまま力を抜くと、期せずして吐息が洩《も》れた。

梨花は下に敷《し》いているシートの上にごろりと横になる。太陽に暖められたコンクリートの熱《ねつ》が伝わってきて、何だかとても心地《ここち》よい。

梨花が今いるこの場所は、今年《ことし》の夏には取《と》り壊《こわ》される予定となっている、ある廃ビルの屋上である。もちろん立入禁止となっている建物だが、実はここ、ビルとビルとの間に挟まれて死角となっている、一階の壊れた窓から容易に侵入できるのだ。そんなしようもないことを、県下でも屈指の進学校に通う優等生《ゆうとうせい》の梨花に教えてくれたのは、月城《つきしろ》葵という少女である。

梨花はごろりと寝返りをうちながら、屋上の風景を漫然と眺めてみた。錆《さび》の浮いた給水タンクに、ひび割れたコンクリートの床。大きな穴が空いている落下防止用のフェンスに、非常階段に繋《つな》がる重苦しい感じのドア。

寂寞《せきばく》とした雰囲気の漂う屋上だが、ここの風景は嫌いじゃない。葵《あおい》も「何だか味があるよね」なんてことを言っていた。屋上から見える周囲の風景も悪くないなと思う。立ち並ぶ雑居ビルは疲れ果てた巨人のようで哀愁《あいしゅう》があったし、何よりこの廃ビルは周囲の建物より頭一つ分ほど抜け出ているので、見上げる空が身近でいい。まあ、立入禁止の廃ビルなので、人に見つかるのを避けるため、昼間はフェンス近くに行けないというネックがあるのだが。

手首を返し、腕時計で時間を確《たし》かめる。時刻は既に一時を回ろうとしていた。葵とここで待ち合わせてからご飯を食べに行く予定だったので、お昼はまだ食べておらず、正直なところお腹《なか》が空《す》いた。梨花《りか》はほぅ、と小さく溜息《ためいき》をつく。

(……遅いなぁ、葵さん。電車に乗り遅れてたとしても、もう着いてておかしくない時間なのに)

二人は同じ市内に住んでいるのだが、通っている学校は別々である。可愛《かわい》いセーラー服が人気の県立高校に、葵は特急列車で三十分ほどかけて通学しているのだ。今日《きょう》は日曜《にちよう》だから本来なら学校はお休みなのだが、彼女は担任から呼び出しを食らい、お小言を聞くためだけに往復一時間の道のりを行くハメに陥ったらしい。

『担任《アイツ》さ、わたしのこと目の敵《かたき》にしてるのよ。自分は部活の顧問《こもん》だから、日曜もどうせ学校にいるんだろうけどさ。電車で行くわたしの身にもなれっての。だいたい、携帯を学校に持ってきてる奴《やつ》なんて、わたし以外にもいくらでもいるじゃん。ねえ？』

昨夜《ゆうべ》、電話口でそう愚痴《ぐち》をこぼしていた葵は、本人には悪いけど少し可笑《おか》しかった。

梨花は口許《くちもと》を少し緩《ゆる》めた後、ごろりと仰向《あおむ》けになって考える。

（電話してみようかなぁ。でも携帯、今日はさすがに持って行ってないかな……）

するとその時、非常階段に通じるドアが、軋《きし》むような音を立てて開いていく気配《けはい》があった。

（あ、やっと来た）

不意にイタズラ心がうずいた梨花は、そのまま狸寝入《たぬきねい》りを決め込むために目を閉じた。葵がやけに静かな足取りでこちらに近付いてきて、すぐそばでその歩みを止める。さてどんな反応をするだろうかと思っていると、

『あれ？　眠っちゃってるよ。どうする文伽《フミカ》？　起きるまで待つ？』

「私、そんなに気長じゃないわよ」

そんな、聞き覚えのない声が降ってきた。

「!?」

梨花は驚《おどろ》いて目を開けると、慌てて上半身を起こして声の主を見上げる。そこにいる人物は、少し変わった格好をしていた。昔の郵便配達夫を思わせる制服を着て、手には身長以上もある大きな杖《つえ》を持っているのだ。梨花は辺りを見渡してみたが、他《ほか》に人影《ひとかげ》は見受けられない。おかしい。声は二人分したはずだが……。

不審《ふしん》に思いつつも、梨花《りか》はじりじりと相手から距離《きより》を取りつつ、いつでも立ち上がれるように体勢を整《ととの》えていった。声が掠《かす》れないように注意しながら、絞り出すようにして問いかける。

「あなた……誰《だれ》？」

「私は文伽《フミカ》。あなたに届け物があってやって来たの」

緊張《きんちよう》を孕《はら》んだ梨花の声とは対照的な、落ち着き払った平坦な声が返ってきた。梨花は「届け物？」とオウム返しに訊《たず》ねる。

文伽と名乗った少女は微《かす》かにうなずき、肩から下げているがま口の鞄《かばん》に手を伸ばした。そして中から、黒い切手が貼《は》られた一通の手紙を差し出してくる。

「月城葵《つきしろあおい》から預かってきたわ。あなた宛《あ》ての手紙よ」

「……葵さんから？」

その名前に反応して思わず受け取りそうになったが、慌てて腕を引っ込めた。葵のことなら自分が一番よく知っている。一番よくわかっている。彼女を育てたご両親も足元に及ばないくらいに、彼女のことを理解している。

なぜなら葵は——自分の、半身なのだから。

葵なら、手紙を書いたりなんかしないし、他人に預けたりもしない。普通の状況なら、そんなこと絶対にしない。

（……普通の状況なら？）

背筋をゾクリとした悪寒《おかん》が走った。梨花はきゅっと唇を噛《か》み締《し》めると、手が小刻みに震《ふる》え出していることを相手に気取《けど》られないように隠しながら、文伽を強い眼差《まなざ》しで睨《にら》みつける。

「文伽さん……て言ったわよね？　あなた、葵さんとどういう関係なの？　葵さんは時間にルーズなところはあるけど、約束を破ったりする人じゃない。葵さんがここに現れないことに、あなたは何か関係しているの？」

もし、そうだとしたら。

もし、葵に危害でも加えているなら——

許さない。

絶対に。

「黙《だま》ってないで答えなさい！　葵さんは今どこにいるの！　どうしてここにやって来ないの!!」

他人を怒鳴《どな》ったのなんて何年振りだろうか。少し声が裏返ったが、葵のことを聞き出すまで折れるわけにはいかない。梨花は自分の意思を示すために、文伽のことを見据え続ける。

静かな表情を浮かべていた文伽の瞳《ひとみ》が、悲しげに翳《かげ》ったように思えた、刹那《せつな》。

『ええと、少し言《い》い辛《づら》いんだけど……』

先ほど聞こえた、第三者の声が不意に響《ひび》いた。その声の出所を認めた梨花は、驚《おどろ》きに目を瞠《みは》る。

（杖《つえ》が……喋《しゃべ》った？）

そして、その驚愕《きょうがく》さえも塗《ぬ》り潰《つぶ》す一言――。

『月城葵《つきしろあおい》さんは先ほど亡くなったよ。乗っていた電車が脱線《だっせん》事故を起こしたんだ。僕らは死者からの手紙を配達する仕事をしていてね。この手紙を葵さんから預かってきたんだよ』

「!?」

一瞬《いっしゅん》、頭の中が真っ白になった。しかし次の瞬間には、その白は怒りの赤へと変じる。先の怒りなど、比べ物にならないような、どす黒い赤。血のような、赤。

梨花《りか》は低く、告げる。

「……ふざけたことを言わないで。私の前から消えて。今すぐに」

『ああっ、ごめん。怒らせるつもりはなかったんだ、ホント。……ねえ文伽《フミカ》、僕、マズイ言い方しちゃったかな?』

「かもね」

『かもねって……僕は人間のこと、よくわからないんだからさ。こういうところは文伽がうまく処理してくれなきゃ困るよ。ああっ、本当にゴメンね? 友達が死んで悲しいんだよね? でもね、死は誰《だれ》にも平等に訪れるものであってね、』

「マヤマ、もういいから黙《だま》ってて。話がこじれるわ」

『そんなぁ……』

そのやりとりを黙って聞いていた梨花は、再び口を開くと、一言一言、噛《か》み締《し》めるように言った。

「……聞こえなかった？　私の、前から、消えて。今すぐに」

しかし文伽は透徹《とうてつ》した瞳《ひとみ》で、静かにこちらを見返してくるだけだ。その眼差《まなざ》しに思わず怯《ひる》みそうになっていると、文伽は手にしている手紙にちらりと視線を落とす。そして、効力に半信半疑といった体《てい》で、僅《わず》かに小首を傾《かし》げるような仕草《しぐさ》をした後——その魔法《まほう》の言葉を、静かに紡《つむ》いだ。


「〝——君は空を飛べる？〟」


心臓《しんぞう》が跳ねた。

呼吸が止まった。

（どうして……）

どうして、その言葉を？

そんなはずはない。そんなはずはない。この人が言っていることはデタラメだ。全部デタラメなんだっ!!

………確《たし》かめなければいけない。

そう、思った。

梨花《りか》は勢いよく立ち上がる。文伽《フミカ》が目の前に手紙を差し出してきたが、逃げるようにしてその手紙から視線《しせん》を逸《そ》らすと、彼女の脇《わき》を通り過ぎて非常階段へと走った。何か声をかけられたような気もしたが、梨花は振り返ることもせず、ただがむしゃらに走った——。

家に帰りついた梨花は、すぐさま自分の部屋へと飛び込んだ。バスを待つ時間さえ惜しんだため、徒歩で三十分は掛かるであろう道のりを、ずっと駆け続けたことになる。しかし、鼓動が速いのは走ってきたからか、それとも極度の緊張《きんちよう》のためかわからない。喉《のど》が渇ききっていたが、葵《あおい》の安否を確《たし》かめるまでは、呑気《のんき》にお茶なんか啜《すす》ってられなかった。噴《ふ》き出る汗は代謝《たいしや》というより、全《すべ》て冷や汗のようにも思える。

梨花は震《ふる》える手でテレビの電源を入れた。人死にが出るような大きな脱線事故なら、どのチャンネルでも臨時《りんじ》ニュースとして取り上げられているはずだ。

ゆっくりと浮き上がってきたテレビの映像には——まるでオブジェのようにひしゃげた、特急列車の車両が映し出されていた。

「ウソ……」

自分のものとは思えない、老婆のようなしゃがれた声が漏れ出した。

ウソだ。

こんなの、ただの偶然だ。

梨花《りか》はリモコンを手にして、次々にチャンネルを変えていく。もっと情報が欲しかった。いったい何が起こったの？　負傷者の数は？　救助は進んでいるの？　そして――死者は、出ているの？

……ねぇ。葵《あおい》は、そこにはいないよね？

葵は、そんなとこにはいないよね？

そんな冷たいとこなんかにいないよね？　そんな暗いとこなんかにいないよね？　傷付いてなんかないよね死んでなんかないよね、お偉いさんの記者会見なんかどうでもいいから早く葵の元気な姿を映しなさいよっ!!

事故発生から大して経《た》っていないためか、詳しい情報はなかなか入ってこなかった。葵の携帯にも何度もかけてみたが、ずっと繋《つな》がらない。時間の経過と共に上乗せされていく死傷者の数に、梨花は心臓《しんぞう》を鷲掴《わしづか》みにされているような不安感を覚える。

やがて陽《ひ》も落ち、「夕飯よ」と呼びに来た母親に、食欲がないからいらないと応《こた》えた頃《ころ》。

ニュースキャスターが、新しく身元が判明した死亡者の名前を、沈痛な面持ちで告げた。

……明かりの消えた梨花の部屋で、唯一の光源となっているテレビから、責任の擦《なす》り合《あ》いをする声が響《ひび》く。

『乗客からは、スピードが出すぎていたようだったという証言も――』

『鉄道関係者は、置き石があった可能性があるとして――』

『専門家の話によれば、盛り土によって「宿流《しゅくりゅう》」という現象が――』

くだらない。

たとえ、鉄道関係者が処罰されたとしても。

たとえ、置き石をした犯人が捕まったとしても。

たとえ、運命の神様が弾劾されたとしても――。

月城《つきしろ》葵という名の少女の死は、決して償《つぐな》われるものではないというのに。

❧ ❧ ❧

――片羽《かたは》を欠いた蝶《ちょう》。

それが、綾瀬《あやせ》梨花が自分に抱くイメージの全《すべ》てだった。

いつからそんな思いに囚《とら》われるようになったのか、判然とはしない。生まれ落ちた瞬間《しゅんかん》からそうだった気もするし、つい最近のことのようにも思える。ただ一つだけはっきりしていることは、自身の欠落感が、日に日に増しているということ。

かつて自分は、どこか遠いところを飛んでいたのだと、そんなことを思う。

さわやかな風に吹かれながら、遠いところを飛んでいたのだと、そんなことを思う。

けれど。

いつしか自分は片羽《かたは》を失い、この地上へと流れ着いてしまった。まるで漂流者のように、故郷から離《はな》れてしまった。

片羽を失った自分は、飛んで帰ることもできず、この地上での生活に、うまく溶け込まなければならなかった。

異質なものを弾《はじ》き出す世界では、水溶液の澱《おり》になってはならない。心に描いた帰るべき場所も、他人に語ってはならない。

——まるで、心が死んでいくような毎日。

両親のことは好きだった。友人のことも好きだった。でもそんな感情は、望郷の念の前にはあっさりと霞《かす》んでしまう。

いつも上位の成績《せいせき》に、両親は喜ぶ。

でもそんなことは当たり前。ここでの生活の全《すべ》ては、丸暗記できる記号のようなもの。あの場所に帰れたなら、すぐさま忘れ去ってしまうもの。

いつも梨花《りか》は優《やさ》しいと、友人は言う。

でも彼女たちは気付かない。誰《だれ》にでも優しいということは、誰も見ていないのと同義。あの場所に帰れたなら、誰の顔も思い出しはしない。

梨花は微笑《ほほえ》みながら、心の中で泣く。まるで迷子《まいご》の子供のように、心の中で泣きじゃくる。

〝――帰りたい〟

どうすればあの場所に帰れるだろうかと、ずっと考えていた。〝帰る〟というイメージに最も近いのは、〝死〟そのものだった。でも、それだけではダメだと、梨花は漠然と悟っていた。天国も地獄も、あの場所ではない。死んで地上から解き放たれても、自分はあそこに帰れない。なぜなら自分は、片方の羽根しか持っていないから……。

そんな思いを抱いたまま日常を送っていた、ある日のことだ。

梨花はその日、昼下がりの繁華街《はんかがい》を一人で歩いていた。信号を渡って建物の角を曲がると、進行方向に大きな人だかりができていた。

(……何だろう?)

近付いてみると、集まっている人たちは皆、上の方を指差したりして口々に何か言っている。梨花はつられるようにして、上方に視線《しせん》を移した。すると、ビルの上にある、一つの人影《ひとかげ》が目に止まる。その人影はどうやら若い女性のようで、彼女は手摺《てす》りを乗り越えて、屋上の縁《へり》に立っていた。

(飛び降り自殺……)

すぐさまそれとわかった梨花は、反射的に小さく舌打ちしていた。屋上の女性に対し、誰もが心配そうに見上げたり好奇の目を注ぐ中、梨花《りか》は苛立《いらだ》ちも露《あらわ》に舌打ちしたのだ。

自殺をするということに対して、梨花は肯定的な意見を持っていた。

彼ら自殺者と自分とは、死の先に目指す場所はきっと違うけれど。

この地上から解き放たれたいという思いは、共感できるものだったから。

でも、ビルの上にいる彼女は違う。

死に向かう人間は、ひっそりと消えていくものだ。わざわざ姿を人目に晒《さら》して、誰《だれ》かが止めに入るのを待つなんて、出来の悪い大道芸と同じ。通行の邪魔《じゃま》。手元が狂って死んじゃったって、拍手の一つも貰《もら》えやしないのに。

「……バカバカしい」

ぼそりとそう呟《つぶや》いて、歩き出そうとした時だ。隣《となり》から、この場の雰囲気にそぐわない、あっけらかんとした女性の声が聞こえてきた。

「ほーんと、バカバカしいよね。どうせ飛びやしないのにさ」

梨花はハッとなり、自分の右隣にいるその声の主を見やる。

彼女は他《ほか》の人たちと同様、ビルの屋上を見上げていた。ショートカットの髪に、切れ長の瞳《ひとみ》。

口の端を上げたうっすらとした笑《え》みを刷《は》いており、何となく近所の悪ガキを思わせる。

彼女は屋上からこちらに視線《しせん》を移すと、にっこりと魅力的《みりょくてき》に微笑《ほほえ》んだ。そして、空を軽く指差し、唐突にこう問いかけてきたんだ。

「――君は空を飛べる?」

心が震《ふる》えた。

わけもわからず泣きたくなった。

彼女は月城葵《つきしろあおい》と名乗った。年は梨花より一つ上。大した時間は掛からなかった。梨花は、歓喜と共に悟った。

失っていた、もう片方の羽根――自分の半身に、巡り会えたということを。

❦ ❦ ❦

夜中に家を抜け出した梨花は、廃ビルの屋上で夜風に身を晒していた。春先ということもあって外はまだ肌寒いが、その代わりとばかりに、澄明《ちょうめい》な月光が世界を柔らかく染めている。

出会ってから一年足らずで、自分の半身は儚《はかな》くこの世から消えてしまった。でも、悲しむことはないのだと思う。葵の考えていることは、彼女が地上から消え去った今も、手に取るようにわかる。なぜなら葵は、自分の半身だから。

彼女は、待っている。

——彼女は、自分が逝くのを待っている。

逝《い》かなければいけない。

葵《あおい》を寂しがらせてはいけない。

彼女のいない世界になど何の未練もなかった。死期がほんの少しだけ早まっただけだ。

葵と一緒《いっしょ》にこの空を飛ぼうと思う。

そして、帰るのだ。

懐《なつ》かしの、あの場所へ……。

梨花《りか》は落下防止用のフェンスへと歩を進めた。このフェンスの一角には、老朽化のため、巨大な穴が空いている箇所がある。梨花はその穴から身を乗り出すと、屋上の縁《へり》へと端然と佇《たたず》んだ。

瞬間《しゅんかん》、ビルの壁《かべ》を舐《な》めるような吹き上げの風が、梨花の長い髪を弄《もてあそ》ぶように舞《ま》わせた。大きく一歩踏み出せば、そこにはもう、闇《やみ》の口腔《こうこう》が待ち受けている。ビルの間を渦巻く風が、正体不明の獣《けもの》のように低く唸《うな》っていた。虚構のような月だけが、梨花の姿をしっとりと見つめている。

そのとき梨花は、以前に葵と交わした、ある会話のことを思い出していた。それは他愛《たわい》のない、しかし、いま考えれば、自分たちが半身だとお互いに確《たし》かめ合っていたような——そんな会話だったようにも思う。

「――ねぇ梨花。昨日《きのう》の深夜にやってたテレビ番組、見た？」

「ううん。昨日は早くに寝ちゃったから」

「お子ちゃまめ」

「うるさいなあ。どんな番組だったの？」

「討論《とうろん》番組。……あー、いま意外だって思ったでしょ？」

「うん」

「即答しないでよー。まあ確かに普段《ふだん》なら見ない類《たぐい》の番組だけどさ。昨日はちょっとばかり事情が違ったんだな」

「どういうこと？」

「えとね、今時の虚無的な若者代表って感じで、自殺志願者《しがんしゃ》が出演してた。これ、どう思う？」

「どうって……そうね。葵さんの言葉を借りるなら、『すっごくナンセンス』っていう感じかな？」

「さっすが梨花、よくわかってる！　そうなのよ。あんまりバカらしいからさ、ついつい見ちゃった。そいつさ、自己暗示かけてるみたいに『死にたい死にたい』って繰《く》り返してさ、挙句《あげく》の果てには自殺未遂の経験《けいけん》をどこか得意げに話すわけ」

「すっごくナンセンス」

「その通ーり！『自分は死を望むほど深く懊悩《おうのう》してるんですー』って、わざわざ公共の電波で公言しちゃってさ。勝手に死ねばいいじゃん。死を考える自分は高尚な存在なんだとでも言いたいのかね。そんな人間、今時ごまんといるって。むしろ平均点？　だいたい、躊躇《ためら》い傷を自慢するようなことしてどうするんだっての。武士の時代だったら物笑いの種にしかならないって」

「いいじゃない、平和で」

「ほんと、退屈するくらいにね。……んー、やっぱ梨花《りか》とはゾッとするほど気が合うね。ねえ梨花、わたしたちは片羽《かたは》を欠いた蝶《ちょう》だって、そう言ったよね？　だったらさ、昨日《きのう》の討論《とうろん》番組に出てたような若者は、たとえるなら何？　この地上から逃げ出したくはあるんだけど、そう夢想するだけの彼らは、いったい何？」

「そう……ね。たとえるなら——」

〝飛べない蝶〟

「……飛べない蝶？」

「そう。羽根は揃《そろ》っているし、天国だったり地獄だったりの向かいたい場所もある。でも地上の重力に抗《あらが》えなくて、地面で羽根を広げてみせるだけの〝飛べない蝶〟。そんな感じかな？」

「……相変わらず梨花は詩人ね」

「ナンセンス？」

「まさか。ハイセンスよ」

暗《くら》い昏い、海の底のような地面を屋上の端から見下ろしていた梨花は、やがてある事実に気付いて愕然《がくぜん》となった。知らぬ間に、身体《からだ》が小刻みに震《ふる》え出しているのだ。

梨花は驚《おどろ》きに目を見開く。

そんなはずはない。

そんなこと、あるはずがない。

しかし、震えを認識《にんしき》した途端《とたん》、その震えはさらに大きくなった。梨花が思わず後退《あとずさ》ると、背中に当たったフェンスが、抗議《こうぎ》の声を上げるようにギシギシと軋《きし》む。歯の根が噛《か》み合わない。両足に力が入らず、膝元《ひざもと》から崩れ落ちてしまうような不安感に、小さな悲鳴さえ洩《も》れる。

『死』は梨花にとって、単なる通過点でしかないはずだった。地上から解き放たれ、あの場所へ帰っていくための第一ステップでしかないはずだった。それなのに――。

怖かった。

恐ろしかった。

涙が出てしまうくらいに怯《おび》えていた。

（……待ってるのに。葵《あおい》さんが私のこと、待っているのにっ！）

最後の一歩を踏み出すことが、どうしてもできない。梨花《りか》は死を恐怖する自分に対し、この上もないほどの絶望感を覚えた。

「何してるの、そんなところで？」

不意に声をかけられ、梨花はハッと後ろを振り返る。フェンス越しの屋上に、昼間に見た、文伽《フミカ》という少女の姿があった。

いつからそこにいたのかは判然としないが、彼女の瞳《ひとみ》は昼間に見たときと同様に深く澄《す》んでいる。その双眸《そうぼう》に見つめられていると、自分の怯懦《きょうだ》を鏡《かがみ》にでも映し出されているような気がしてきて、頭にカッと血が上った。

梨花は震《ふる》える声など気にせず、半ば叫ぶように言う。

「何してるかって、見ればわかるでしょう⁉　飛ぶのよ、ここから！」

「飛ぶ？」

「そうよ！　この空を飛んで、葵さんの許《もと》へ行くの！　彼女は私のこと待っているもの！　きっとずっと待っているもの‼」

深く考えずに吐き出した科白《せりふ》だったが、その言葉は確《たし》かに梨花の力となった。一時的な激情《げきじょう》も、恐怖を紛らすにはちょうどいいスパイスとなる。

大丈夫。

飛べる。

葵は重力の届かない場所で、梨花のことを待っている。半身である自分がやって来るのを、きっと待っている。彼女に出会えたなら、静かに手を取り合い、懐《なつ》かしのあの場所へと帰ろう。地上のことなどきれいさっぱりと忘れ去り、二人の羽根で、遠く青い空を舞《ま》い続けよう。

凍り付いていた両足がゆっくりと溶け出したと思えた。梨花は方向転換して身体《からだ》ごと文伽の方を向くと、精一杯の強がりで、うっすらと微笑《ほほえ》みかけてみせる。そのまま重心を背中へと移していき、背後の闇《やみ》へと身を躍《おど》らせようとした時だ。

文伽が、静かに言い放った。

「――人は空なんか飛べやしない。自殺したところで、ただ堕《お》ちていくだけよ」

「!?」

口許の笑《え》みも、身体も、一瞬《いっしゅん》のうちに凍《い》て付いてしまった。梨花はしばらく呆然《ぼうぜん》とした体《てい》で文伽と見つめ合う。文伽の瞳は相変わらず、一片の曇《くも》りさえ見せはしなかった。

やがて梨花は、唇をきゅうっと嚙《か》み締《し》める。喉《のど》の奥からは、まるで怨嗟《えんさ》するような声が漏れ出した。

「……あなた、いったい何なのよ？　なぜ私の邪魔《じゃま》をするの!!」

文伽は黙《だま》ったまま、肩から下げている鞄《かばん》の中身を探ると、そこから一通の手紙を取り出す。それを手にしたまま、彼女は言葉を紡《つむ》いだ。

「私は単なる郵便配達員よ。あなたの邪魔《じゃま》をするつもりはないわ。ただ、この手紙を受け取ってもらえないと、仕事が完了しないの。それだけよ」

梨花《りか》は文伽《フミカ》の持っている手紙に視線《しせん》をやった。それは昼間、事故死した葵《あおい》から預かってきたと説明されたものだ。

普段《ふだん》なら決して信じない類《たぐい》の話だが、馬鹿《ばか》げてるという思いは梨花の中からは既に消え去っていた。文伽という不思議《ふしぎ》な少女とマヤマと呼ばれる喋《しゃべ》る杖《つえ》は、とっくに常軌を逸した存在であるし、彼女たちはテレビ報道よりも先に葵の死を知っていたのだ。

それに、あの言葉。

あの魔法の言葉は、言わば梨花と葵だけの合い言葉。秘密の言葉だ。葵が教えでもしない限り、知ることはできない。葵が梨花に信じさせるために伝えさせたと考えれば、全《すべ》ての説明がつく。

手紙を前にしてどうすべきか迷っていると、文伽が後押しするように告げた。

「自殺なんていつだってできるでしょう？　手紙、受け取ってくれない？」

「…………」

梨花はしばらく黙《もく》していたが、やがてのろのろと足を動かし、フェンスに空いた穴から広い屋上へと戻った。そのまま文伽の許《もと》へと歩み寄ると、少しだけ躊躇《ためら》った後、その手から手紙を受け取る。

「——それじゃ、確《たし》かに渡したから」

文伽はそう言うと、踵《きびす》を返して非常階段へと歩みを進める。その間マヤマが、

『早く次に行かないと時間がなくなっちゃうよ。早く早く』

と、彼女を急《せ》かしている。

文伽が屋上から去ったのを見届けると、梨花はほぅ、と微《かす》かに溜息《ためいき》をついた。手許にある手紙に視線を落とし、意を決するように一つうなずくと、封を切って手紙に目を走らせる。そこには見覚えのある、意外と几帳面《きちょうめん》な感じの葵の文字が並んでいた。

葵は急に訃報《ふほう》を届けることになってごめんと、謝罪《しゃざい》の言葉をまず書いていた。でもそれは悲《ひ》愴《そう》さを漂わせるものではない。

『驚《おどろ》いたでしょ？』とか、

『梨花のことだから寝込んじゃってたりして』とか、

『ご飯はちゃんと食べなよ？　これ以上わたしより体重が減ることは許さん』とか。

彼女らしい、茶化《ちゃか》すような暖かい言葉で綴《つづ》られていて、梨花は思わず口許を緩《ゆる》める。

そして——

予想していたことだけれど。

覚悟していたことだけれど。

その一文を見つけ出して、梨花はハッと顔を強張《こわば》らせる。

『もう少しで約束の日だね。梨花《りか》のこと、待ってるからね』

梨花は手紙を胸に抱え込むと、その場に膝《ひざ》から崩れ落ちるようにしてへたり込んだ。彼女の口からは、啜《すす》り泣きの声が零《こぼ》れ落ちていく。

……本当は、気付いていたのだと思う。

この手紙は、この世の未練そのものだ。地上の重力から解き放たれ、葵《あおい》の許《もと》へと行こうとしている時に、わざわざ手にする必要なんて全くないもの。それなのに、自分は手紙を受け取った。

なぜなら――自分は、死に怯《おび》えているから。

どうしようもなく、死を恐れているから。

たとえ一時《いっとき》でもいい。死から逃げ出したいという思いから、この世の未練である手紙に手を伸ばしてしまった。

梨花は泣きながら呟《つぶや》く。

「どう……しよう。どうしよう、葵さん。私、逝《い》けないよ。待って、いるのに。葵さん、私のこと、待っているのに……」

涙が溢《あふ》れて止まらない。

逝かなければならない。

逝かなければならない。

葵を独りにしてはならない。

それなのに、もう、あのフェンスの向こうに立つことさえできそうにない……。

月明かりの下、梨花の嗚咽《おえつ》だけが静かに響《ひび》いた。

梨花は、絶望と共に悟る。


——私は、〃飛べない蝶《ちょう》〃だ。

❦ ❦ ❦

葵は草地に腰掛けて煙草《タバコ》を吹かしながら、事故現場の様子《ようす》をぼんやりと眺めていた。

事故発生から既に三十時間ほどが経過している。発生当初こそ人命救助やらマスコミやらで賑《にぎ》わっていたこの場所だが、生存者の救出も遺体の搬出もほぼ完了した今となっては、周りを囲む人だかりもぐっと減った。撤去《てっきょ》作業と現場検証が終わってしまえば、後は何事もなかったかのように、このレールも新しい電車を走らせることとなるのだろう。

「まだこんなところにいたの?」

そう声をかけられて、葵《あおい》は顔を巡らせる。するとすぐ傍《そば》に、こちらをじっと見つめている文《フミ》伽《カ》の姿があった。

「ああ、文伽か。手紙、梨花《りか》に届けてくれた？」

葵はそう問いかけながら、近くの地面をぽんぽんと叩《たた》き、隣《となり》にくるように促す。文伽はそれに応じ、地面にマヤマを寝かせるようにして置くと、隣に腰掛けた。そして、先の問いかけに短く答える。

「手紙はちゃんと届けたわ」

「……そっか。ありがと」

「お礼なんか言わなくてもいいわよ。仕事だもの」

「うわカッコイイ科白《せりふ》。文伽はクールだねぇ」

そんなことを言いつつ、煙草《タバコ》の煙を空めがけてフーッと吐き出す。星が顔を覗《のぞ》かせ始めた群《ぐん》青色《じょういろ》の空に、煙が薄《うす》い雲のように流れ、すぐさま消えていった。

しばらく二人とも無言だったが、その沈黙《ちんもく》に耐えかねたのか、マヤマが不意に口を開く。

『ねえ。どうしてまだ現世に止《とど》まっているの？　あんまりこっちに長くいると、あの世に行けなくなっちゃうよ？』

その言葉に、葵は煙草を口に咥《くわ》えたまま、気のない返事をする。

「……そうは言ってもね。天国だか地獄だかは、わたしの望む場所じゃないからさ。行ったたってしょーがないでしょ？」

『え？ それじゃあ、ずっとこの世を彷徨《さまよ》ってるつもり？』

「まさか。それこそ願《ねが》い下げ」

『だったら一体どうするの？』

困惑しきった感じの声に答えを返したのは、葵ではなく、文伽だった。

「……彼女がくるのを待っているのね？」

葵は微《かす》かに眉《まゆ》を上げた後、ふっと口許《くちもと》を緩《ゆる》め、首肯する。

マヤマがさらに混迷した様子《ようす》で告げた。

『彼女を待ってるって……梨花さんが亡くなるのを待ってるってこと？ そんなことしてたら、本当にあの世に旅立てなくなっちゃうよ？』

葵は肩を竦《すく》めてみせると、煙草を指でピンッと弾《はじ》いて飛ばし、おざなりに訊《き》く。

「ねぇ。今日《きょう》って四月二十日でいいよね？」

『え？ ああ、うん。そうだけど？』

「だったら、梨花は明後日《あさって》、わたしの許にやってくるよ。わたしはそれまで待ってる」

文伽が眉宇《びう》をひそめ、「どういうこと？」と訊《たず》ねてきた。そんな彼女に対し、葵は逆に質問する。

「文伽はさ、死ぬのに一番いい年齢《ねんれい》って、何歳くらいだと思う？」

「……そんなもの、ありはしないわ」

「んー、まあそういった意見もあるだろうね。でもさ、わたしと梨花《りか》の意見は一致してるのよ。十六歳。これが死ぬのに一番いい年齢《ねんれい》。子供でも大人《おとな》でもない、ピュアでも汚れきってもいない、すごく微妙な、でもだからこそ価値があって美しい、そんな瞬間《しゅんかん》。——死ぬにはもってこいの時期よ」

葵《あおい》は立ち上がると両手を天に掲げ、うーんと伸びをする。そして、地面に腰掛けたままこちらを見上げている文伽《フミカ》に笑いかけると、言葉を続けた。

「わたしと梨花ってさ、誕生日《たんじょうび》、一日しか違わないんだ。梨花は明後日《あさって》で十六歳になって、わたしは明々後日《しあさって》に十七歳になる。だからさ、約束したんだよ。二人が同じ十六歳の時……二人ともが、死ぬのに最適な十六歳でいられる、四月二十二日という特別なその日に——手を繋《つな》いで、屋上から一緒《いっしょ》に飛ぼうって」

そう。

約束、したんだ。

言い出したのは梨花だった。彼女は疲れ果てていた。この地上から飛び立って、どこか遠いところに行きたいと言った。自分たちの帰るべき、あの懐《なつ》かしの場所へ戻りたいと言った。半身である葵がいれば、きっとそれができる。片羽《かたはね》を互いに持つ二人が寄り添えば、きっとこの空を飛べる。

そう、彼女は言った。

ひどく純粋な、真《ま》っ直《す》ぐな瞳《ひとみ》で、そう言ったんだ。

気付けば葵は、「いいよ」と、そう答えていた。梨花と一緒なら、本当に飛べるような気がしたんだ。彼女の見ているその場所へ、自分も帰りたいと思えた。

だから、明後日は約束の日。

二人の魂が帰還《きかん》する、特別な四月二十二日だ。

話を聞いてどんな顔をするかなと思っていたのだが、文伽は相変わらず表情乏しく、何を考えているのかわからない。彼女はマヤマを手にすると立ち上がり、唐突《とうとつ》にこう問いかけてきた。

「——暇よね、今」

葵はきょとんとなるが、何とか答える。

「へ？　……ああ、うん。暇だけど？」

「それじゃあ、ついてきて」

そう言い置くと、文伽は踵《きびす》を返し、後ろを振り返りもせずに歩き出した。言葉通りについてくるということを微塵《みじん》も疑ってないようなその足取りに、葵は思わず呆然《ぼうぜん》となる。歩調《ほちょう》に合わせて上下するマヤマが、申《もう》し訳《わけ》なさそうに手招きしているようで何だか間抜けだ。

「……いや、まあ、暇だからいいけどさ」

そんなことをぶつぶつと呟《つぶや》きながら、葵は文伽を追って歩き出した。

文伽《フミカ》に連れられて辿《たど》り着いた場所には、ごくごく普通の一般家庭が日々の生活を営んでいるであろう、二階建ての一軒家があった。その家は葵の見慣《あおいみな》れたものだ。なぜなら——葵の家だから。

「どこに連れてってくれるのかと思いきや、わたしの家なわけ？　初デートにしては積極的《せっきょくてき》すぎるんじゃないかしらん、と引くわたしがいるわけだけど、その辺のこと文伽はどう思う？」

そんな冗談《じょうだん》を飛ばしてみたのだが、文伽は無言で家の方へと歩を進める。

（……………おのれクールビューティーめぇ）

葵は頬《ほお》を引きつらせるが、こんなところで独りぼんやりと突っ立っていても仕方ない。一つ大きな溜息《ためいき》をつくと、文伽の後について行く。

どうやら本日は月城《つきしろ》葵のお通夜《つや》であるらしい。知らないオジサマたちは鉄道関係者だろうか。親戚縁者《しんせきえんじゃ》やその他諸々《もろもろ》の弔問客《ちょうもんきゃく》に、さらには取材のためのマスコミ関係者の姿も見えて、月城家の周囲は養鶏場《ようけいじょう》のような密集状態となっている。

「こっちよ」

文伽にそう促されて家の中へと足を踏み入れていくと、祭壇《さいだん》の傍《そば》でうなだれるようにして座る、両親の姿がまず目に映った。

父はこの数十時間でやけに年老いたように見えた。ここ最近は大して会話をしていない。反抗期というより、話すことがないというのが実態だった。それゆえ、父の姿さえじっくりと見る機会《きかい》がなかったのだが――こんなにも小さいはずはなかったのにと、そんなことを思う。

母は静かに泣いているようだった。良き理解者というには、程遠い存在だったと思う。でも、だからこそ、その涙は予想外だった。

血の繋《つな》がり。

そんな言葉を耳にしたことはあるが、実感を伴ったことはない。しかし、それが今になって、少しだけ理解できるように思う。

いま焼香しているのは、クラスメイトたちだった。どうやら担任に引率されてきたらしい。すすり泣く声があちこちから聞こえてくる。自分はクラスに馴染《なじ》んでなかったように思うのだが、彼女たちは何を思い、こうして涙を流しているのだろう?

視線《しせん》を転じれば、そりが合わなかった担任までもが涙ぐみ、学校に呼び出すことさえしなければ事故に遭《あ》うこともなかったと、自身を責めながら葵の両親に頭を下げていた。担任は天敵とも呼べる相手だったのだ。葵が死んで喜びこそすれ、涙を見せるなんて思いもしなかったのに。

いま目にしているこの景色《けしき》は、何だか騙《だま》し絵《え》のようにも思えるのだが、そのわりに胸の奥はチクリと痛んだ。葵は煙草《タバコ》を取り出し、火をつける。いつも通りの死の香りがした。

……少しだけ、落ちつく。

不意にマヤマが、『どう？　自分のお通夜《つや》の様子《ようす》を目にした感想はさ』と、問いかけてきた。

葵《あおい》は泰然と煙を吐くと、呟《つぶや》くように言う。

「……少し意外かな。たとえばホラ、いま焼香してるの、うちのクラスの委員長。わたしのこと毛嫌いしてたくせにさ、あんな顔することないじゃん。通夜の時にスマイル見せろとは言わないけどさ、これじゃわたしがイジメてるみたいだ」

ほんと、勘弁して欲しい。

イジメられてるのはむしろこっちだ。

すすり泣きや嗚咽《おえつ》の声が、叱責《しっせき》のように聞こえてくる。悄然《しょうぜん》と肩を落とす人々の姿が、無言の重圧で吊《つ》るし上げてくる。

葵は隣《となり》にいる文伽《フミカ》の頭から帽子を取ると、鍔《つば》をぎゅっと引っ張って目深《まぶか》に被《かぶ》った。煙草《タバコ》を口に咥《くわ》えたまま、静かに独白する。

「……まあ、見てて楽しいもんじゃないよね」

すると文伽が、いつも通りの平坦な声で告げた。

「あなたは梨花《りか》さんを待つと言っていたけど……彼女の周りにも、こうして死を悼《いた》む人々はきっといるわ。それでも、彼女を待つと言うの？　この景色と同じものを、彼女にも見せるつもり？」

その言葉を聞いた葵は、ハッと顔を上げて文伽の方へと首を巡らせる。

文伽は真摯《しんし》な眼差《まなざ》しで葵を見据えていた。思いがけず強い光を湛《たた》える彼女の瞳《ひとみ》に、葵は僅《わず》かにたじろいだが、それも一瞬《いっしゅん》のことだ。すぐさま葵の口許《くちもと》から、クスッという、暖かい微笑が零《こぼ》れ落ちていく。

「――何が可笑《おか》しいの？」

微《かす》かに眉《まゆ》をひそめ、文伽はそう訊《たず》ねてきた。葵はぶんぶんとかぶりを振り、慌てて言う。

「ああいや、別に可笑しくて笑ったわけじゃないって。梨花のこと心配してくれるの、何か嬉《うれ》しくてさ」

「だったら――」

「ううん。わたしは梨花がくるの、待ってるよ。これまで通りにね」

文伽は沈黙《ちんもく》するが、その瞳が「どうして？」と問いかけている。葵は煙草の煙をゆっくりと吐き出すと、少しばかりからかうような口調《くちょう》で告げた。

「ありゃりゃ？　わかんない？　レトロな格好してるからって、考え方まで古くなくていいじゃん。最近の子のことわかってないなー、文伽は。お通夜の様子なんか見せて、お涙頂戴《ちょうだい》モノにしたかったんだろうけどさ。何と言うか……これ、イ、マ、イ、チ、だよ」

文伽は黙《だま》ったまま見返してくるが、その瞳は少し剣呑《けんのん》なものに変わったようにも思える。何やら冷たい汗を背筋に感じた葵は、被っていた帽子を手にすると、ぽすんと文伽の頭に戻した。

どうやら被《かぶ》る位置が気に入らないらしく、文伽《フミカ》が両手で帽子の位置を直している間に、彼女の眼差《まなざ》しから逃れるようにして辺りに視線《しせん》を馳《は》せる。

葵《あおい》はそ知らぬ体《てい》で続けた。

「……そりゃまあ、わたしもこういうの見て痛々しくは思うよ。でも、それだけ。昔のドラマみたいにさ、改心して考えを変えようとかは思えない。涙を流してくれる人たちのために生きるより、わたしは自分自身のために死ぬ道を選《えら》ぶ。梨花《りか》もきっと同じことを言うよ。だから、わたしは待ってる。梨花がくるのを待ってる」

その言葉には、嘘《うそ》も、偽りもありはしない。

流れ落ちていく涙は、地上の重力の一部でしかない。二つの羽根が揃《そろ》えば、顧《かえり》みることもなく、自分たちは飛び立つことだろう。

悲しくはない。

寂しくはない。

梨花と飛ぶ空はきっと、楽園以上に素晴《すば》らしい場所だろうから……。

そんなことを考えていた時だ。

「——彼女、来ないわ」

文伽が、ぽつりとそう呟《つぶや》いた。

葵は「えっ」と声を上げ、文伽の方に目をやる。彼女は視線を落としており、先程のようにこちらを見ようとはしなかった。その様子《ようす》はどこか苦しげで、葵は当惑してしまう。

文伽は、少し悲しい色を帯びた声音《こわね》で、静かに続けた。

「いくら待っても来ないわ。彼女、死に怯《おび》えているから。だからあなたも待つのなんか止《や》めて、すぐにあの世へ旅立つべきよ」

――悪い冗談《じょうだん》だった。

ひどくタチの悪い冗談だ。

葵はハハッと乾いた笑いを浮かべ、言う。

「やだなぁ、文伽。心配してくれるのは嬉《うれ》しいけどさ、その冗談は笑えないって」

「冗談なんかじゃないわ。手紙を渡しに行った時、彼女、屋上から飛び降りようとしてた。でも結局、飛び降りることができないまま、あなたからの手紙を受け取ったの。……彼女は、来ないわ」

「…………………」

頭の芯《しん》がスウッと冷えていくような感覚があった。葵は咥《くわ》え煙草《タバコ》を床へと吐き捨てると、転《てん》瞬《しゅん》、文伽の胸倉《むなぐら》を掴《つか》んでグイッと引き寄せる。拳《こぶし》二つ分ほどしか開いていない至近距離《きょり》で、二つの視線が確《たし》かに重なった。

葵は、低く告げる。

「……文伽ぁ。笑えない冗談を何度も言うようなお調子者《ちょうしもの》は、最後には痛い目をみるって、知ってるか？」

それは、明らかな恫喝《どうかつ》——。

許せなかった。

それまで文伽《フミカ》に抱いていた好意も、怒りの前にあっさりと吹き飛んだ。

……約束、したんだ。

この空を一緒《いっしょ》に飛ぼうと、梨花《りか》と約束した。

それは絆《きずな》だ。

血の繋《つな》がりや、他人との友情なんて足元にも及ばない、強い強い絆。半身どうしが互いに繋がり合うための、運命とも呼べる絆。

それなのに、梨花が約束を違《たが》えるとでも言うのか？　梨花が〝飛べない蝶《ちょう》〟だとでも言うのか？

ふざけるなっ!!

「……二ヶ月くらい前だ。わたしと梨花はフェンスの向こう側に立ってみた。予行演習みたいなもんさ。足が竦《すく》んで動けなくなるようなら、他《ほか》の方法でも考えようって話してた。その時、梨花は何て言ったと思う？『ついでだから、もうこのまま飛んじゃおうか？』笑いながら、そう言ったんだ。せっかくだから約束の日に飛ぼうって、むしろわたしが止めたよ。あの時の梨花の言葉は、決して強がりなんかじゃなかった。繋いでた手も、全然震《ふる》えてやしなかった。

――梨花は、〝飛べない蝶〟なんかじゃない」

「それはあなたが傍《そば》にいたからよ。独りきりでは飛べやしないわ」

「!?」

反射的に殴りかかろうとした時だ。文伽が手にしている長大な杖《つえ》が、唸《うな》り声《ごえ》のようなヴンッという低い音を発し、淡く光った。

背筋に怖気《おぞけ》が走ったが、既に遅い。

視界が揺れるような衝撃《しょうげき》、後方への浮遊感、網膜に瞬《また》くように映っていく、天井《てんじょう》、壁《かべ》、床――。

魂だけの存在となったはずなのに、吹き飛ばされ地面を転がる痛みは健在だった。葵《あおい》は舌打ちしつつも何とか受け身を取って跳ね起き、叫ぶ。

「――マヤマッ! 邪魔《じゃま》するなっ!!」

『うわわごめんなさ――、じゃなくて、暴力《ぼうりょく》はいけないよ暴力は! それに、文伽が言ったことは全部本当のことだよ! 屋上で自殺を躊躇《ためら》ってる梨花さんの姿を、僕もちゃんと見たんだ!!』

ぎりっと歯軋《はぎし》りする葵の視線《しせん》の先で、文伽は平然とした様子《ようす》で衣服の乱れを整《ととの》え、帽子の位置を正す。そして、手にしているマヤマに話しかけた。

「マヤマ、これからの時間、空いてる?」

『えっ、これから？　そんな急に言われても無理だよぉ。スケジュール調整《ちようせい》する僕の身にもなってよ』

「そう。それじゃあ、明日《あした》は？」

『明日なら……うん。大丈夫だけど？』

そんなやりとりをした後、文伽《フミカ》は葵《あおい》の方を一瞥《いちべつ》し、口を開いた。

「私たちの言葉が信じられないのなら、自分の目で確《たし》かめてみる？　とりあえず今夜は家で頭を冷やしてなさい。明日で良ければ案内してあげるわ。彼女の許《もと》へ」

その冷ややかとも言える態度は、頭ごなしに命令されるよりも何だか癪《しやく》に障る。

……いや、違う。

苛立《いらだ》っているのは、自分自身に対してだ。

どんなことを言われようとも、文伽のように平然としていれば済んでいたことだ。一笑に付してさえいれば、すぐさま終わっていた話。でも、自分は文伽の胸倉《むなぐら》を掴《つか》むだけでは飽き足らず、殴り掛かろうとまでしてしまった。

——もしかしたら。

そんな考えが、脳裏を過《よ》ぎった証拠。

自分自身に腹が立った。心配なんかしなくても、梨花《りか》はちゃんとやって来る。二人の約束を果たす。

葵は、唸《うな》るように言う。

「……ああ、一緒《いっしょ》に行ってやる。でもな、それは梨花の決意を確かめに行くわけじゃない。くだらない冗談《じょうだん》を言ったこと、きちんと謝罪《しゃざい》させるためだ。わかったな?」

その言葉を聞き終わると、文伽は何も言わず、くるりと踵《きびす》を返して歩き出した。その足取りには乱れの一つもない。それを見て、葵はチッと、小さく舌打ちした。

☙ ☙ ☙

梨花の通っている有名私立高校は、お昼休みには屋上を開放しているらしかった。文伽に連れられて階段を上って行くと、学校独特の弾むような喧騒《けんそう》が徐々に大きくなってくる。その喧騒に誘われるようにして開け放たれたドアを抜けると、優《やさ》しげな春の陽射《ひざ》しが出迎えてくれた。辺りにはお弁当を囲んで楽しく談笑する、数グループの生徒たちの姿が見受けられる。葵はすぐさま目当ての人物を見つけ出した。屋上の隅で、手摺《てす》りにそっと触れるようにして、グラウンドの方を眺めている梨花の姿がある。

傍《そば》に行くため足を踏み出そうとした時、機先《きせん》を制するようにしてマヤマが言った。

『ねえ。梨花さんって霊感《れいかん》とか強い方?』

「……いいや。そういうのは全くないって、前に話してたことがある」

『だったら話しかけたりしても無駄《むだ》だと思うよ？　僕たちの姿も今は彼女には見せてないから』

「…………」

葵《あおい》はその言葉を無視して、構わず歩を進める。梨花《りか》は少し疲れている様子《ようす》だったが、それ以外は普段《ふだん》通りに見えた。

葵はほっと安堵《あんど》の吐息を洩《も》らし、梨花から五メートルほどの距離《きょり》を置いて立ち止まる。視線《しせん》だけで振り返れば、文伽《フミカ》もこちらに歩いてきていた。

文伽が隣《となり》にやって来るまで待った後、葵は顎《あご》をしゃくって梨花の方を示し、ふふんと笑う。

「ほらな？　別にどうってことはない、いつも通りの梨花だ」

その時、まるで葵の声に反応したかのように、梨花がふと顔を上げた。その顔が、こっちを向こうとゆっくりと動き出す。葵は驚《おどろ》きに目を瞠《みは》り、その横では文伽が微《かす》かに眉宇《びう》をひそめた。

「綾瀬《あやせ》さん、なーに黄昏《たそがれ》てるの？」

唐突《とうとつ》に、一人の女子生徒が梨花に話しかけ、隣の手摺《てす》りに身体《からだ》を預ける。梨花はこちらに動かしかけていた顔を、反対方向にいるその女子生徒へと向け直した。

「……ああ、加藤《かとう》さん。ううん。別に黄昏てたわけじゃないけど」

「それじゃあ何を……あぁっ、わかった！　グラウンドにいる男子のこと見てたんでしょ⁉」

綾瀬さんってそういう話しないからちょっと意外ー。で、誰《だれ》のこと見てたの？」

「えっ、別にそういうわけでも……」

「ここにきてシラを切る気？　よーし、話さないなら……ここから落としちゃうぞっ！」

それは、傍《はた》から見ていてもすぐさま冗談《じょうだん》だとわかるような、そんな行動だった。加藤という女子生徒が、梨花の背中に手を回し、突き落とすような仕草《しぐさ》をしてみせた。

よくあるおふざけだ。

度を過ぎて怪我《けが》をすることもないような、単なる真似事《まねごと》だ。

だというのに——


「やめてぇっ!!」


叫喚とも呼べるほどの、甲高《かんだか》い悲鳴が響《ひび》き渡った。その声には、屋上にいた者が全員、動きを止めて梨花を注視するほどの、切迫するものが含まれていた。凍り付いたように時が止まり、息をするのも憚《はばか》られるほどの沈黙《ちんもく》がその場を満たす。

やがて、春の陽光にはたと気付いたように、雪解けの時がやってきた。

まず最初に我《われ》に返ったのは梨花だった。「あ……」と吐息するような声を零《こぼ》した後、怯《おび》えるように手摺りから離《はな》れる。

ひどくうろたえる加藤の許《もと》に、一人の女子生徒が駆け寄ってきて、譴責《けんせき》するように声をかけた。

「ちょっと、いったい何したのよ？」

「えっ……いや、私は別に何も………」

「何もしてないのに悲鳴あげられたって言うの？　もうっ、あんまりバカなことしないでよ。……綾瀬《あやせ》、大丈夫？　顔色悪いよ？　保健室、行く？」

そう声をかけられ、梨花《りか》は力なくかぶりを振る。

「ううん、大丈夫。……びっくりさせて、ごめん」

梨花はそれだけ言うと、身を翻《ひるがえ》し、その場から逃げ出すように駆け出した。葵《あおい》の横を通り過ぎる際、ふと首を巡らせようとしていたが、

「ちょっと綾瀬!?」

先程の女子生徒が心配するようにそう声を上げると、その声を振り払うように、視線《しせん》を落としたまま駆け抜けてしまう。

葵は咄嗟《とっさ》に梨花の後を追って走り出した。文伽《フミカ》も何も言わず、隣《となり》に並んで駆ける。梨花は踊り場を抜けて三階へと下りると、角を曲がって化粧室へと飛び込んだ。葵たちもすぐさま中へ入る。

化粧室に先客はいなかった。梨花は緊張《きんちょう》の糸が切れてしまったようで、震《ふる》え出す身体《からだ》を自《みずか》らの両腕でぎゅっと抱《だ》き締《し》める。その口から洩《も》れるのは、泣き疲れた子供のような、やけにか細い声。

「……葵《あおい》さん」

葵はハッと息を飲む。しかしその呟《つぶや》きは、話しかけるものではなく、梨花《りか》の独白のようだった。

零《こぼ》れ落ちたその一声が、半身の名を呼ぶその声が、彼女の心の堤防を崩した。梨花は俯《うつむ》き、涙を流しながら、言葉を吐き出していく。

「ひどい……よぉ。葵さん、何で私のこと置いてっちゃうの？　約束、したじゃない。一緒《いっしょ》に……飛ぼうって……約束、したじゃない。それなのに、何で私を独りにするのよぉ……」

何度も何度もしゃくりあげながら、梨花は胸中の想《おも》いを吐露《とろ》していく。嗚咽《おえつ》を堪《こら》えることもなく、顔中を涙で濡《ぬ》らしていく。

……そこにいるのは、葵の知る梨花などではなかった。

目から鼻へ抜ける聡明さも、少し背伸びしてみせる健気《けなげ》さも、時折みせる歳《とし》相応の笑《え》みさえも——目の前の少女は、持ち合わせてはいない。

まるで、蝶《ちょう》が蛹《さなぎ》へと戻ってしまったようだと、そんなことを思う。

繭《まゆ》の中で空を飛ぶ夢に心躍《こころおど》らせるのではなく、地上へと墜《お》ちていく悪夢にうなされ、弱々しく泣きじゃくる、幼い蛹のよう。

梨花のそんな姿を目の当《ま》たり《あ》にし、葵は茫然自失《ぼうぜんじしつ》する。隣《となり》にいる文伽が、静かに言葉を紡《つむ》いだ。

「彼女、苦しいでしょうね。死に対する恐怖心と、あなたと交わした約束との間で、板挟みになってる。どう？　彼女は空を飛べる？　それとも、飛べない蝶かしら？　彼女はあなたの半身なんでしょう？　——だったら、あなたがこの場で答えを出しなさい」

険を孕《はら》んだ詰問に、葵は言葉をなくす。

信じたくはなかった。

認めたくはなかった。

嘘《うそ》でしょうとばかりに、葵は呼びかける。

「そんな……梨花………」

その瞬間《しゅんかん》、泣き濡れていた梨花が、弾《はじ》かれたようにこちらを見た。彼女の唇から、信じられないとばかりの声が洩《も》れる。

「……葵、さん？」

葵は驚愕《きょうがく》に大きく目を見開いた。梨花は葵の姿をはっきりと捉《とら》えきれていないのか、まるで盲目の少女のように視点を定めないまま、手だけおずおずと葵の方へと伸ばしてくる。

『そんな、だって、梨花さんには霊感《れいかん》がないって……』

マヤマがそう、狼狽《ろうばい》した様子《ようす》で言った。

文伽《フミカ》は相変わらずの平静な態度を崩さぬまま、少しばかりの詠嘆《えいたん》を漂わせて、

「半身、か……」

と、小さく呟《つぶや》く。

葵《あおい》はすぐさま、伸ばされた梨花《りか》の手を取ろうとした。しかし魂だけの存在である葵が、梨花の手に触れることなどできるはずがない。確《たし》かに摑《つか》んだと思われた彼女の繊手《せんしゅ》を、葵の手はすうっと通り抜けてしまった。

けれど。

それだけで、充分。

梨花の頰《ほお》を、それまで以上の大粒の涙が伝い落ちていった。彼女は息せき切って葵の名を呼ぶ。

「葵さん！　そこにいるのね！　葵さん！」

胸が詰まった。歓喜に魂が震《ふる》え、自然と口許《くちもと》に笑《え》みが浮かぶ。

やっぱりそうだ。

やっぱり、梨花は自分の半身だ。

たとえこんな姿になっても、彼女は自分のことを見つけ出してくれる。半身の存在を感じ取ってくれる。

文伽の言うことなど、全て嘘《うそ》っぱちなのだと思う。

梨花と一緒《いっしょ》なら、自分はこの空を飛べる。二人寄り添えば、彼女の瞳《ひとみ》に映る、あの懐《なつ》かしの場所へと旅立てる。

……いいよ。行こう。

人の魂が帰る場所になど、何の興味《きょうみ》もない。人の造りし理想郷に、自分の居場所などありはしないから。

だから、行こう。

二人で飛ぼう。

——連れてってよ、梨花。

梨花の視線《しせん》の先にある、あの懐かしの場所へ。

一緒に、連れてってよ……。

葵が再び「待ってるから」という言葉を紡《つむ》ぎ出そうとした、まさにその時。梨花が、悲痛な声で叫んだ。

「葵さん！　私も……私も連れてって、い、い、い、いって!!」

瞬間《しゅんかん》、目の前が真っ白になった。

……何を、言っているのだろう？

梨花はいったい、何を言っているのだろう？

連れてってくれるのは、梨花の役目のはずだ。案内してくれるのは、梨花の役目のはず。だから、自分は待っているのに。手を取り合い、懐かしのあの場所へと一緒に飛び立つ時を、ずっとずっと夢見ているのに。

梨花《りか》は泣き叫び続ける。

「約束したじゃない！　一緒《いっしょ》に飛ぼうって、約束したじゃない！　私を置いてかないで！　独りにしないで!!　……ここは、嫌《いや》だよぉ。助けてよぉ……助けてよ、葵《あおい》さん！　私も一緒に連れてってよぉ!!」

……ここに来れば、羽根は揃《そろ》う。

二人一緒に、向かいたい場所もある。

でも、地上の重力に抗《あらが》えなくて。

地面で羽根を広げてみせるだけの――

〝飛べない蝶《ちょう》〟

胸が苦しい。

心が痛い。

半身が泣いている。

羽根を探して泣いている。

耳を塞《ふさ》いでしまいたい。

目を覆《おお》ってしまいたい。

でも、そんなことは無意味。

なぜなら、泣いているのは、自分自身なのだから……。

脱力したまま何もできずに佇《たたず》んでいると、化粧室のドアが勢いよく開いた。その場に姿を現したのは、屋上で梨花の身を案じていた、あの女子生徒だ。彼女はハッと息を飲んだ後、すぐさま梨花に駆け寄り、その身体《からだ》を支える。

「様子《ようす》がおかしいと思ったら……ちょっと綾瀬《あやせ》、大丈夫⁉　私の声、ちゃんと聞こえてる⁉」

しかし梨花は、心ここにあらずといった体《てい》で、「置いてかないでよぉ」と泣きじゃくっている。

化粧室を使うためか、三人組が談笑《だんしょう》しながら入ってきて、中の様子にぎょっとなって立ち止まった。梨花を支えていた女子生徒が、その三人組に向かい、鋭《するど》く言い放つ。

「誰《だれ》か先生呼んできて！　早く‼」

三人組の一人が、弾《はじ》かれたように取って返した。葵はどうすればいいかわからず、ただ、苦しげな様子の梨花へと手を伸ばそうとする。すると、文伽《フミカ》に肩を摑《つか》まれ、制された。

彼女は、言う。

「……死者であるあなたに、今できることは何もないわ」

その言葉に、葵は伸ばしかけていた手をきゅっと握《にぎ》り締《し》め、静かに下ろした。梨花がこんなにも苦しんでいるのに、自分は彼女の手を握り締めることさえできはしない。

葵《あおい》はこのとき初めて、命を落とした自分に対し、苛立《いらだ》ちも露《あらわ》に歯噛《はが》みした——。

❧
❧
❧

——あぁ、死にたいな。

そんな思いが発作的に強く湧《わ》き起こる瞬間《しゅんかん》が、月城葵《つきしろ》には度々《たびたび》あった。

なぜ死にたいかと問われれば、答えは単純。この世界が嫌《いや》だから。

ここではないどこかへと旅立てるなら、地上の重力なんてないと同じだ。死神とのダンスだって、喜んでステップを踏もう。そんなことを考えつつも、葵は十六年もの間、自《みず》ら命を絶つでもなく、平穏《へいおん》無事に過ごしてきた。

なぜ死なないのかと問われれば、答えは複雑。この世界が嫌な理由が、葵にはハッキリと見えてこないから。

葵は腕を組み、煙草《タバコ》なんかを吹かしながら、ウーンと頭を悩ませる。

何もかも嫌だということは、何も嫌じゃないということだ。だからきっと、嫌だと思うことが明確《めいかく》に存在するのだろうが、自分はよほどバカなのか、何が嫌なのかをはっきりと言葉にすることができない。

——ただ、死んでしまいたいと、そう強く思う。そう強く願《ねが》う。

そんな陰鬱《いんうつ》な夢想、思春期にはよくあることだと言われてしまえば、それまでかもしれない。でも、軽々しく『死』を口にしない分だけ、自分の願いは根が深いように思われた。

まるで、魚も住めない昏《くら》い海のように。

死を願う葵の気持ちは、一定の周期で満ち引きを繰《く》り返す。

この思いが満ち引きに止《とど》まらず、溢《あふ》れ出してしまう瞬間が、もし訪れたとしたら——その時は、自分は本当にこの世から消え去ってしまうことだろう。この世に生まれ落ちたこと自体が、何かタチの悪い冗談《じょうだん》だったかのように、あっさり、さっぱり、過去の全《すべ》てにサヨナラを告げることだろう。

でも、葵は何となく悟っていた。

死が溢れるようなきっかけなんて、そうそう訪れやしない。自分はきっと、何が嫌なのかも判然としない、このくそったれの地上で、死に惹《ひ》かれ、生に飽いたまま、漫然と、だらだらと、余命を浪費していくんだ。

きっとそうなんだ。

そうなんだろ?

親愛なる、敬愛する、無能たる神様。

——けれど。

そんな葵の予想はあっさりと覆《くつがえ》された。死の溢れ出す予兆が、意外にも目の前に現れたのだ。

死を告げる天使は、自《みずか》らを綾瀬梨花《あやせりか》と名乗った。

そりゃあまあ、最初は彼女のこと、ただの空想少女ちゃんかと思ったよ。彼女の言葉はリリカルでハイセンス。これまで自分の周りにはいなかったタイプの人間だったから、親しみというより、珍しさが先に立った。

でも、しばらく話をするうちに、好奇心を追い払う形で親愛の情が芽生《めば》えてきた。それは何とも言えない、不思議《ふしぎ》な感覚。

やがて葵《あおい》は悟った。

梨花の言葉が答えを導《みちび》き出してくれた。

——自分は、この世界を嫌っていたわけではない。

この世界は、自分の居場所ではなかった。ただそれだけのことだったんだ……。

自分たちは半身どうしなんだと、梨花は言った。

……ああ、きっとそうだ。

二人一緒《いっしょ》なら空だって飛べると、梨花は言った。

……ああ、もちろんんだ。

懐《なつ》かしのあの場所に帰りたいと、梨花は言った。

……あぁ、いいよ。

一緒に帰ろう。

怖くないように。

寂しくないように。

手を、繋《つな》いでてあげるから。

死が溢《あふ》れ出してくる音が耳元で聞こえる。これでやっと世界からオサラバできる。しかも自分には帰るべき場所がある。

なんて素晴《すば》らしい最期だろう!

……でも結局、約束の日がくる前に、自分は死んでしまった。半身を待つのが当然のことだと思っていたが、それが正しいことかどうかも、梨花の涙を見た時にわからなくなってしまった。

彼女は飛べるだろうか?

約束の日が来れば、以前二人で屋上の端に立った時のように、震《ふる》えることもなく飛び立てるだろうか?

(それはあなたが傍《そば》にいたからよ。独りきりでは飛べやしないわ)

文伽《フミカ》はそう言った。彼女の言葉は、時にナイフのように鋭《するど》い。

(私も……私も連れてって、て、て、て!!)

梨花《りか》にあんな悲痛な声を吐き出させた原因は、全《すべ》て自分にあるのだろう。

葵《あおい》は煙草《タバコ》の煙を長嘆するように、細く、長く吐き出しながら、思う。

……ああ、いいだろう。認めよう。

裏切られたとは思わない。裏切ったのはむしろ自分。約束の日まで生きることさえできなかった、自分の落ち度。

片羽《かたは》と出会うまで、飛べるなんて思いもしなかったんだ。

片羽を失った今、彼女が飛べる道理もありはしない。

少し、悲しいことではあるけれど。


——いくら待ってみたところで、梨花はやって来はしない。


茜色《あかねいろ》に染まる廃ビルの屋上で、葵はぼんやりと煙草を吹かしていた。姿を消そうとしている夕陽《ゆうひ》は、見ようによっては飛び去っていくようでもあるし、あるいは墜《お》ちていくだけのようでもある。梨花に訊《たず》ねたとしたら、彼女はどちらに見えると答えるだろうか。

「——どうするか、もう決めた?」

文伽《フミカ》がそう声をかけ、隣《となり》にやってきた。葵は彼女をちらりと横目でみやった後、指で煙草を弄《もてあそ》ぶ。

「……わたしさ、煙草吸いだしたの、中学入ってすぐくらいなんだよね」

突然の話題に、文伽はわずかに首を傾《かし》げてみせたが、口を挟むでもなく黙《だま》っててくれた。

葵は続ける。

「最初はさ、ただの興味《きょうみ》で吸ってみたわけよ。ホラ、煙草ってさ、咥《くわ》えてるだけでもサマになるじゃん。だから何となくカッコイイなーって、そんな感じで吸いだしたわけ。……いやぁ、煙草の箱に書いていることって、意外と真実だね。未成年者の喫煙は依存性が強くなるっていう、アレ。おかげで煙草が手放せなくなっちゃって」

でも、別に後悔したことはないし、悪いことだという自覚も薄《うす》かった。ほとんど所構わず吸ってたもんだから、大人《おとな》たちの目に止まったことも一度や二度ではないが、大事になったこともない。死ぬ間際、電車内で煙草を咥えている葵の姿を目撃《もくげき》した、あのサラリーマン風のおじさんと一緒。大人たちはそ知らぬ顔をするか、自分たちの体面のためだけに注意するぐらいのもの。だから、ああ、吸っても別に構わないんだって、そんなことを思ってた。

「でもさぁ、わたしにも一応の良識《りょうしき》はあるから、真面目《まじめ》ちゃんの前とかでは吸わないようにしてたわけよ。ほら何つーの、いつもは信号無視するくせに、向こう側で小学生が当然って顔で信号待ちしてたら、渡るのをぐっと我慢するというか——そんな感じ?」

だから、梨花《りか》の前でも煙草《タバコ》は吸わないようにしていたのだけれど。

「……けど、ついに見つかっちゃった。ここで待ち合わせしてる時に煙草吸ってたんだけど、梨花が知らぬ間に屋上まで来ちゃっててさ」

いや、あの時はビビッたね。振り返ったら、顔を真《ま》っ青《さお》にしてる梨花が立ってて。彼女は無言でツカツカと歩み寄ってくると、葵《あおい》が咥《くわ》えている煙草を奪い取り、まるで親の仇《かたき》とばかりに煙草を踏み消した。そして、微《かす》かに震《ふる》える唇を動かし、こう問いかけてきたんだ。

「――葵さん。煙草、吸ってるの？」

生徒指導《しどう》の先生に見つかったとしても、あれほどうろたえはしなかったことだろう。早死にできそうだから吸ってるとか何とか、自分はバカ丸だしの言《い》い訳《わけ》なんか必死でしたようにも思う。

やがて梨花は、もう吸うのを止《や》めてと、そう懇願《こんがん》するように言ってきた。

「でもさ、そう簡単《かんたん》に止められるはずないわけ。守れもしない約束する気もないし、何でそんなこと言うの別にいいじゃんって、そう返した」

――その時、梨花は何て言ったと思う？

もう既に約束の日は決まってて、後は一緒《いっしょ》に飛ぶ時を待つだけとなっていた。なのに彼女はそんなことは関係ないとばかりに、今にも泣き出しそうな悲しげな表情で、こう言ったんだ。

「何でって……葵さんのことが心配だからに決まってるじゃない」

もうすぐ死んじゃうのに。

二人一緒に飛び立つのに。

そんなこと、言ってくれた。本気で葵の身を案じ、そんなこと、言ってくれたんだ。

あれは嬉《うれ》しかった。泣いちゃうぐらいに嬉しかった。

……ううん。

実は、本当に泣いちゃったんだ。梨花はその言葉を口にした後、気恥ずかしくなったのか、フイと顔を背けちゃったから、気付いてはいないだろうけど。

自分はあの時、思わず一筋の涙を零《こぼ》してたんだ。

梨花は、初めて葵に会った時、まるで魔法《まほう》にかけられたみたいだったと語っていた。

〝——君は空を飛べる？〟

その一言から全《すべ》てが始まり、世界が回り出した。そんなことを、とても嬉しそうに語っていた。

でも、それは違うんだと思う。

魔法をかけられていたのは、いつも葵の方だった。梨花の一言一言に、一喜《いっき》一憂《いちゆう》していたのは、いつも自分の方。

〝——葵さんのことが心配だからに決まってるじゃない〟

あんなに嬉しい言葉をかけられたこと、これまで一度だってなかったんだ。聞いただけで涙しちゃうような一言、出会えたこと自体が奇跡だ。

……なんて素敵《すてき》な魔法《まほう》なんだろう。

もしもこの世に神様なんていうくだらない存在がいて、「お前は何のために生まれてきたと思う?」なんて、偉そうに質問してきたとしたら。

自分は胸を張り、笑顔《えがお》さえ零《こぼ》しながら、こう答えようと思う。


――わたしは、梨花《りか》のあの一言を聞くために生まれてきた!


ああ、何てハイセンスな生き様だ。これ以上を望んだらバチが当たる。一緒《いっしょ》に行けないのは残念だけど、梨花の苦しみの果てに飛ぶ空になど、どうせ何の価値もありはしない。

葵《あおい》は煙草《タバコ》を口に咥《くわ》え直すと、「ん」と、文伽《フミカ》の方に手を出した。

文伽が怪訝《けげん》そうに見返してくるのを感じ、葵は言う。

「半身だからわかるんだ。わたしがこのまま消えちゃったら、梨花はきっと自分のこと責める。自分が飛ぶのを躊躇《ためら》ったからだって、そう思っちゃう。だからそう思い詰めさせないためにも、最後の手紙を書くから、便箋《びんせん》ちょーだい」

その瞬間《しゅんかん》、文伽の雰囲気が急に柔らかくなったように思えた。

葵ははたと気付く。

考えてみれば、文伽にもかなり迷惑をかけてしまった。手紙を届けてもらうだけでなく、こんなにも世話を焼いてもらったのに、自分のことばかり考えていて未《いま》だお礼の言葉も言っていない。葵はポリポリと頰《ほお》を掻《か》くと、目も合わせずに告げた。

「……色々ありがとね、文伽」

すると、

「別にいいわよ」

と、これまたクールな返答が。

わぉ。何てカッコイイ奴《やつ》。

葵は便箋を受け取ると、新しい煙草に火をつけ、ふーっと煙を吐き出す。どんな文面にするかは、実は既に決めていた。当然だ。梨花は自分の半身。どんなことを書けば彼女の苦痛を取り除けるかなんて、わかりきっている。

けれど。

手紙を書き出そうという気には、なかなかなれなかった。理由は単純だ。これが本当に最後のお別れの手紙になってしまうから、すぐさまペンを走らせる気にはなれないんだ。

煙草を咥えたまま、空白の便箋にボーッと視線《しせん》をやっている時だ。葵はふと、そのことに気付いた。

（……ああ、そうか。そうだったんだ）

常日頃《つねひごろ》から、自分ってばバカだなぁ、なんてことは思っていたけれど。まさかこんな単純なことに、いまさら気付くなんて。

思わず、葵《あおい》の口許《くちもと》に笑《え》みが浮かんだ。横にいる文伽《フミカ》が、「どうしたの？」と、怪訝《けげん》そうに訊《き》いてくる。

葵は、独白するように呟《つぶや》いた。

「……わたしさ、梨花《りか》が半身かどうかなんて、本当はどうだってよかったんだと思う」

そうだ。

彼女が自分の半身だろうが赤の他人だろうが、そんなことどうだってよかったんだ。

「梨花が見てる、あの懐《なつ》かしの場所にだって、それほど興味《きょうみ》はなかったんだと思う」

そう。

彼女が見ている景色《けしき》が、あの懐かしの場所だろうが、あるいは地獄だろうが、そんなことどうでもよかった。

「わたしは、ただ――梨花の傍《そば》に、ずっといたかった。それだけだったんだ……」

二人で生きたかった。

二人で死にたかった。

あんなに嬉《うれ》しい言葉をかけてくれる梨花の傍で、一緒《いっしょ》に笑って、一緒に泣いて、時にはケンカなんかしながら――ずっと、ずっと、寄り添っていたかったんだ。そんな単純なことに、いまさら気付いた。離《はな》れ離《ばな》れになってから、やっと気付いた。

……あれ、おかしいな。この煙草《タバコ》、こんなにキツかったっけ。煙がやけに目にしみる。これじゃ涙が出てもしょうがない。喉《のど》も何か変。まるで泣いてるみたい。

こんなになるんだったら、梨花の言葉通り、禁煙すればよかった。梨花はいつも正しかったのに、こっそり吸い続けるからこんなことになるんだ。この青い空も、実は喫煙者お断りなのかもしれない。だから飛べなくなったのかも。

だとしたら、ごめんね、梨花。

一緒にいたかったんだよ？

本当に、ずっと一緒にいたかったんだよ？

梨花が望む空だから、一緒に飛ぼうって決めたんだよ？

なのに、ごめん。本当に、ごめん。


——梨花と飛ぶ空は、きっと、とても素敵《すてき》だっただろうに…………。


気付けば葵は、声を上げて泣いていた。天を仰いだまま、顔を覆《おお》うこともせず、まるで幼い子供のように、大きな声で泣き続けた。

恥ずかしくはなかった。梨花を想《おも》って流す涙に、後ろめたいものなど、何一つとして含まれてはいないのだから……。

＊＊＊

四月二十二日。

約束の日。

梨花《りか》はその日、気分が悪いと言って学校を休んだ。前日には保健室に運び込まれるという事態も起きていたので、両親も何も言わなかった。

午後になり、学校も終わった頃《ころ》になると、クラスメイトが何人かお見舞《みま》いにきてくれた。彼女たちは梨花の誕生日《たんじようび》のことを覚えてくれて、身体《からだ》に障らないよう、ささやかな誕生会も開いてくれた。そのことに感謝《かんしや》する気持ちはあったが、梨花はやはり、どこか上の空。

――自分は、飛べるだろうか？

今日《きよう》という約束の日に、自分は飛び立つことができるだろうか？　葵《あおい》の許《もと》に行くことができるだろうか？　一度は尻込《しりご》みしてしまったけれど、十六歳の誕生日を迎えた今、自分は死の恐怖に打ち勝つことができるのではないだろうか？

そんな、淡い期待も抱く。

夜になると、梨花はこっそりと家を抜け出し、廃ビルへと向かった。日付が変わる時刻は、刻一刻と近付いてきている。

この制限ある時が、もしかすると自分の背を押してくれるかもしれない。逆に、もしもこの四月二十二日が無事に過ぎてしまうようなことがあれば——自分自身を、一生、許すことはできないだろう。

葵との約束を破り、彼女を独りきりにするようなことになれば、たとえ地獄の業火に焼かれ灰となっても、自分自身を許しはしない。

梨花は壊《こわ》れた窓からビル内に入ると、非常階段で屋上を目指す。しかし、その足取りはやはり重かった。独りで屋上の端に立った時の恐怖心が甦《よみがえ》ってきて、ともすれば足が震《ふる》え出してしまいそうだ。きっと半身である葵の方に、勇気や行動力というものが多く含まれていたに違いない。葵と一緒にいた時は、死への恐れなど微塵《みじん》も感じなかったのだから……。

そんなことを考えつつ、足場を確《たし》かめるように一歩一歩階段を上っていくと、やっと屋上へと通じるドアの前へと辿《たど》り着いた。梨花が一つ大きく吐息し、軋《きし》むドアを力を込めて押し開けると、夜気が流れ込むように吹き抜けていく。

梨花は一瞬《いっしゅん》だけ顔を背けた後、正面へと向き直った。すると、月明かりの下、屋上で佇《たたず》む一人の人物の姿が浮かび上がる。

「文伽《フミカ》さん……」

梨花はその人物の名を呟《つぶや》いた後、きゅっと口を引き結んだ。

彼女はまた、自分の邪魔《じゃま》をする気だろうか。

彼女はまた、自分の心をかき乱す気だろうか。

……もう、止《や》めて欲しかった。

彼女がたとえ自然の摂理《せつり》を超越する存在だとしても、自分と葵《あおい》との約束を踏みにじる権利などありはしない。自分は天国に行くつもりも地獄へ墜《お》ちる気も全くなく、ただ、葵と一緒《いっしょ》に懐《なつ》かしのあの場所へと戻りたいだけ。

だから、もう、放っておいて欲しい。

梨花《りか》は文伽《フミカ》の傍《そば》へと歩を進めると、彼女の静かな眼差《まなざ》しを正面から受け止めながら、口を開く。

「文伽さん。あなたには感謝《かんしゃ》してるわ。本当よ。葵さんの最後の手紙を届けてくれて、本当にありがとう。……でもね。もう、私のことは構わないで欲しいの。私にはやるべきことがあるのよ。葵さんとの約束を果たしたいの。だから、お願《ねが》い。お願いよ。もう、放っておいて……」

それは心よりの懇願《こんがん》だったが、文伽は大した感慨《かんがい》も抱かなかったようだ。彼女はふと視線《しせん》を外すと、肩下げ鞄《かばん》をごそごそと漁《あさ》って、一つの封筒を手にする。

（……まさか、葵さんからの手紙？）

梨花がそんなことを考えた時、文伽は手にした封筒を差し出してきて、短く告げた。

「彼女、旅立ったわ」

「旅立ったのよ、あの世へ。だから、あなたに別れを告げる手紙を私に託したの」

その言葉を聞いた瞬間《しゅんかん》、世界から全《すべ》ての音が消えた。

全ての感覚が鈍くなる。

自身さえも虚《うつ》ろになる。

嘘《うそ》だと思いたかった。

嘘だと信じたかった。

けれど、その言葉に含まれる真実味を、梨花は噛《か》み締《し》めていた。

……薄々《うすうす》は感じていたんだ。

不安はあったんだ。

学校で葵の存在を感じた、あの時。

頭の中がグチャグチャになっていたのではっきりと覚えてはいないが、自分はとんでもないことを口走ったように思う。〝飛べない蝶《ちょう》〟だと自《みずか》ら告げるような、葵のことを独りぼっちにしてしまうような、そんなひどい言葉を吐き出したように思う。

小さい頃《ころ》から霊感《れいかん》なんてこれっぽっちもなかったから、あの場に葵はいなかったのでは、とそう思い込もうとしていたけれど。

今の文伽の言葉で、その可能性も消え果ててしまった。

（……最低だ、私）

全《すべ》て自分が悪い。全て自分のせいだ。半身との絆《きずな》を、自《みずか》ら断ち切るようなことをしてしまった。葵《あおい》が本当はすごく寂しがり屋だということ、半身である自分にはわかっていたのに、彼女を突き放すようなことをしてしまった。

――最低だ。本当に、最低。

梨花《りか》は震《ふる》える手で封筒を受け取る。

怖かった。

恐ろしかった。

この手紙の中には、もしかすると罵《ののし》りの言葉が書かれているかもしれない。詰《なじ》りの文句が並んでいるかもしれない。

でも、それも仕方ないことだと思う。

自分は、葵を裏切ってしまったのだから……。

そんなことを考えながら、封筒の中から便箋《びんせん》を取り出す。梨花は決意を固めるために深呼吸を一度して、それからゆっくりと文面へと視線《しせん》を落とした。

『親愛なる梨花へ』

手紙の書き出しがそんな一文になっていることに、梨花は少なからず動揺し、目を瞠《みは》る。

梨花は慌てて続きを読んだ。

『親愛なる梨花へ。

ええと、前の手紙でも最初に謝《あやま》ってたように思うんだけど、今回もそうなっちゃうこと、許して欲しい。

ごめん、梨花。

何かさ、死者にも色々と制約があるらしくて、そろそろ旅立たなきゃいけないみたいなんだ。梨花のこと待つために頑張ってたんだけど、これぱっかりはどうしようもないらしくて、もうこれ以上こっちの世界にはいられないみたい。

だから、ごめん。

わたしは行くよ。

バカは死ななきゃ治らないって言うけど、あれは嘘《うそ》だね。わたしは死んじゃってもバカなまんまだ。まさか、梨花を待ち続けることすらできないなんて、もう自分自身が情けない。ほんと、わたしって大バカ。こんなわたしが半身だなんて、梨花もさぞガッカリしてるだろうね。

本当にごめん。面目《めんぼく》ない。反省。

こんな大バカなわたしだけど、梨花《りか》がもし、わたしのことをまだ半身だと認めて、必要としてくれるなら、ここで一つ提案があるんだ。聞いてくれるかな。

わたしって少しばかり時間にルーズなところはあるけど、約束は守る方でしょ？　そうだよね？　そうだったはず。うん。

だからさ、梨花と一緒《いっしょ》に飛ぶっていう、あの大切な約束を守れないままでいるの、すごく気持ち悪いんだ。死んじゃってはいるわけだけど、死んでも死にきれないっていうか、そんな感じ。

そこで、一つ提案。

わたしと、新しい約束を交わして欲しい。

文伽《フミカ》とマヤマに聞いたんだけどさ、生まれ変わりっていうもの、どうやら本当にあるらしいんだ。もちろん、それがいつになるかはわからない。明日《あした》かもしれないし、数年後かもしれない。もしかすると、五十年後なんていう、気が遠くなるほどの未来かも。

でもね、わたし、生まれ変わってもう一度この世に戻ってくるから。神様なんか上手《うま》いこと言いくるめちゃってさ、なるべく早く戻ってくるから。

だからね、梨花。

わたしのこと、見つけて欲しい。

わたしバカだからさ、生まれ変わった時には、梨花のこと忘れちゃってるかもしれない。それはすごくすごく悲しいことだし、絶対に嫌《いや》だけど、もしかしたら忘れちゃってるかもしれない。

だから、梨花は生まれ変わったわたしを見つけて、半身のことや、昔に交わした約束のこと、きちんと思い出させて欲しい。

大丈夫！　梨花にならできるよ。学校でもそうだったじゃん。霊感《れいかん》なんてないって言ってたのに、幽霊になったわたしのこと、ちゃんと見つけてくれたでしょ？　半身であるわたしの存在、ちゃんと感じてくれたでしょ？　わたしはあの時、すごく嬉《うれ》しかったんだからね？

梨花がわたしのこと見つけ出してくれて、わたしも全《すべ》てを思い出すことができたなら。

その時は、二人であの約束を果たそう？

一緒に飛ぼう。

そして、懐《なつ》かしのあの場所で、ずっと、ずっと、仲良く寄り添っていようね？

わたし待ってるからね。今度はきちんと約束も果たすから。梨花に寂しい思いなんて、二度とさせないから。

かなり自分勝手なこと書いてるとは自覚してるけど、梨花《りか》と再会できる日を、楽しみにしています。

梨花の愛すべき半身、月城葵《つきしろあおい》より』

手紙を読み終えた梨花の目から、大粒の涙が零《こぼ》れ落ちていく。

葵は自分の半身。だからこそ、彼女の考えがわかった。この手紙の真意が伝わった。

――彼女は、自分を苦悩から救おうとしてくれている。

死に怯《おび》え、飛ぶことのできないでいる梨花の姿を目にして、呆《あき》れるでも、罵《ののし》るでもなく。待ち続けることができない自分の方こそが悪いんだと、謝罪《しゃざい》し、新しい約束まで交わして――死の恐怖から、遠ざけようとしてくれている。苦痛から解き放とうとしてくれている。

(――葵さんっ!)

葵への想《おも》いが、涙が、堪《こら》えきれるはずもなく溢《あふ》れ出してきた。梨花は手紙を胸に抱き、幾筋もの涙を零す。

葵はバカだ。本当に大バカだ。彼女が半身であることを残念に思うなんて、そんなこと、あるはずがないのに……。

梨花は涙を流しながら、新しく交わされた約束へと思いを馳《は》せ、決意するようにうなずいた。

何日でも。

何年でも。

たとえ、何十年だとしても。

葵が生まれ変わるその時を、自分は待ち続けようと思う。そして、彼女を必ず見つけ出して、自分のことを覚えてるかどうか問い詰めてやるのだ。もし本当に忘れてたりしたら許さない。わざわざ頼まれなくとも、思いっきり叱《しか》りつけて、絶対に思い出させてやるんだ。

(ああ、でも……)

彼女からの手紙を胸に抱いているからだろうか？　まるで葵がすぐ傍《そば》にいるように感じた梨花は、拗《す》ねたように呟《つぶや》く。

「五十年も経《た》ったら、私、おばあちゃんになってるじゃない……」

〃そうだね〃

瞬間《しゅんかん》、梨花はハッと顔を上げる。

自分には霊感《れいかん》なんてこれっぽっちもない。だが、学校の時のように、葵の存在を感じた。彼女の声を確《たし》かに聞いた。目を凝《こ》らせば、目の前に、優《やさ》しく微笑《ほほえ》む葵の姿まで見えてきそうだ。

——梨花は全《すべ》てを悟る。

葵はまだ旅立ってなどいない。自分のことを心配して、まだ近くにいるんだ。手紙で苦痛を拭《ぬぐ》えたかどうか、確《たし》かめるためにここにいる。

思わず、彼女の名を呼びそうになった。学校の時と同様、泣き叫んでしまいそうになった。

しかし、梨花《りか》は血が滲《にじ》むほど唇を噛《か》み締《し》め、その場で俯《うつむ》く。

もう充分だ。

これ以上、葵《あおい》を困らせてはならない。

これ以上、葵に心配をかけてはならない。

彼女は自分の半身。

こちらの考えなど、向こうにも筒抜けだろうけれど。

葵の存在に気付いていないフリをして、不満げな声をさらに吐き出していく。

「……葵さんのばか。時間にルーズなのにも程があるわよ」

〝ごめんね〟

「絶対に見つけ出して謝《あやま》らせてやるんだから。覚悟しといてよね」

〝うん、わかった。会える日を楽しみにしてる〟

とても優《やさ》しげな、そしてどこか安堵《あんど》しているような葵の声が、穏《おだ》やかに聞こえてくる。身体《からだ》が何だか温かい。葵がそっと抱き締めてくれているんだと、梨花はそう確信《かくしん》する。

やがて葵が、言葉を喉《のど》に詰まらせたような間を挟んだ後、静かに告げた。

〝……もう、行くね。さよなら、梨花〟

葵《あおい》の身体《からだ》が離《はな》れていくのがわかった。渦巻く感情に胸がひどく苦しくなる。葵のバカ。大バカ。こんな時にかけ合う言葉は、そんなお別れの言葉なんかじゃない。そんな悲しい言葉、この場にそぐいはしない。

梨花《りか》は泣《な》き濡《ぬ》れた顔を勢いよく上げると、叫ぶように言った。

「――さよならなんて言葉、絶対に言わせないからね!? また会いましょう、葵さん!!」

月明かりに洗われた薄闇《うすやみ》の中に、葵の少し驚《おどろ》いた様子《ようす》の顔が見えたような気がした。彼女は初めて出会った時と同様、魅力的《みりょくてき》な微笑をその口許《くちもと》に浮かべると、

〝――うん。必ずまた会おう、梨花〟

そう応《こた》えて、静かに手を振ってくれた。

葵の姿が徐々にぼやけ、やがて陽炎《かげろう》のように消えていく。

これは、涙のせいだろうか？

これは、涙のせいだろう。

溢《あふ》れてくる涙を拭《ぬぐ》い顔を上げれば、きっとまた、葵の元気な笑顔《えがお》が出迎えてくれる。そうに決まってる。

梨花は服の袖《そで》で涙を拭った。何度も何度も拭った。それでも葵の笑顔はどこにも見当たらず、もう、彼女の気配《けはい》すら感じ取れない。その意味が頭の中に静かに浸透してきた梨花は、その場に力なく両膝《りょうひざ》をついた。

誰《だれ》かが泣いている。

まるで泣きじゃくる子供のように、声を上げて泣いている。

泣いているのは自分だと、やがて気付いたけれど。

梨花は構うこともなく、ただ、さめざめと泣き続けた……。

❧　❧　❧

屋上から望める東の空が、やがて白々と明けてきた。梨花は屋上にへたり込んだまま、その様子をぼんやりと眺めていたが、ふと、泣き腫《なは》らした目で背後へと視線《しせん》を振ってみる。少し離れた給水タンクの傍《そば》で、こちらを静かに見つめている文伽《フミカ》と目が合った。

とっくにどこかへ立ち去ったと思っていた文伽がまだ屋上にいたことに、梨花は少なからず動揺する。何と声をかけたらいいか迷っていると、淡々とした口調《くちょう》で向こうから問いかけてきた。

「……もう、泣くのは止《や》めたの？」

「えっ……」

一瞬《いっしゅん》、その問いかけにどう答えればいいか悩む。視線を手許に落とすと、葵からの最後の手紙が目に映った。その手紙は、まるで梨花にエールを送るように、風に吹かれて微《かす》かに揺れている。

梨花《りか》は一つ小さくうなずくと、文伽《フミカ》を見返し、はっきりとした口調《くちょう》で告げた。

「ええ。もう泣くのは止《や》めたわ」

まだ少し、泣き足りないと思う部分はあるけれど。

でも――

「……もしかしたら葵《あおい》さん、赤ちゃんになって、もうこの世に生まれ変わってきてるかもしれないでしょう？　見つけ出すって約束したもの。いつまでも泣いてても仕方ないじゃない？」

必ず見つけ出すと、葵と約束したんだ。流し足りない涙は、再会の時のために取っておこう。独りでは泣いてなんかやらない。半身ともう一度巡り会えた時に、二人一緒《いっしょ》に泣いてやるんだ。

そうしないと不公平だ。そう、思う。

梨花のその言葉を聞いて、文伽は「そう」と短く呟《つぶや》き、うなずいた。その口調はいつも通りの素っ気ないものだが、どこか満足しているようにも聞こえる。そういえば、彼女はなぜ屋上に残っていたのだろう？　まだ自分に用でもあるのだろうか？

梨花がそんなことを考えていた時、マヤマが焦《じ》れたように言葉を発した。

『ねえ文伽、もう満足でしょ!?　スケジュール、もうキツキツだよぉ。早く次の仕事にかからないと、この前みたいに休暇返上で働かなくちゃいけなくなっちゃうよ!?』

「それってマヤマのスケジュール管理に問題があるんじゃないの？」

『ヒドイ！　僕の立てたスケジュールは完璧《かんぺき》だよ！　それをいつも文伽がメチャクチャにしてるんじゃないか!!　今だって、〝梨花さんが泣き止むまで傍《そば》にいる〟なんてわがまま言い出すからこんなに遅れ——痛いッ！　反論《はんろん》できないからって、給水タンクにぶつけるなんて横暴《おうぼう》だ！　オニ！　悪魔《あくま》!!』

「う、うるさいわね。ちょっと手が滑ったのよ」

そのやりとりを聞いて、梨花は驚《おどろ》きに目を瞠《みは》った。文伽が自分のことを心配して傍にいてくれてたなんて、俄《にわか》には信じられない。

でも、よくよく考えてみれば、彼女は何の見返りも要求せず、葵からの手紙を届けてくれたのだ。自分と葵のことで頭がいっぱいだったが、いま改めて思い返せば、文伽には感謝《かんしゃ》しても し尽くせないほどの大きな恩がある。

梨花は少し痺《しび》れたような感覚のある両足を叱咤《しった》して何とか立ち上がると、文伽の傍へと歩み寄った。そして、彼女の正面で深々と頭を下げる。

「文伽さん。こんな簡単《かんたん》な言葉では、気持ちは充分に伝わらないのかもしれないけど……ありがとう。すごく感謝してます。本当に、ありがとうございました」

そう感謝の言葉を紡《つむ》いで顔を上げると、文伽は少しばつが悪そうに、フイと顔を背けた。照れ隠しだろうか。彼女は帽子の鍔《つば》を持ち、ぐいっと目深《まぶか》に被《かぶ》る。

「別にいいわよ、仕事だし。それに——」

そこで言葉を一旦《いったん》切った文伽《フミカ》は、横目でちらりとこちらを見る。そして、唇の端を微《かす》かに上げた、何だかとても素敵《すてき》で格好いい笑《え》みを披露《ひろう》して、こう続けた。

「——感謝《かんしゃ》の言葉なら、あなたの半身から既に貰《もら》ってるから」

その笑みと言葉につられるようにして、梨花《りか》も思わず、あはっと声を上げる。手紙だけではなく、こうして笑顔《えがお》まで運んできてくれるなんて、彼女は何て素晴《すば》らしい配達員なんだろう。

暖かい想《おも》いで胸が詰まった梨花は、両手で口許《くちもと》を覆《おお》い、再び溢《あふ》れ出しそうになる涙を必死で堪《こら》えた。その様子《ようす》を見つめていた文伽は、もう安心だとばかりに、くるりと踵《きびす》を返す。そして何の躊躇《ためら》いも見せず、非常階段へと歩き出した。

この突然の行動に面食らったのは、梨花よりもむしろ、文伽のことを急《せ》かしていた相棒のマヤマの方であったらしい。マヤマは慌てたように言う。

『えっ、もう行くの!?』

「ええ。マヤマも次の仕事に行こうって、そう言ってたじゃない」

『いや、まあ、そうだけど……ホラ、梨花さんにきちんとしたお別れの言葉をかけるとかさ』

「かけたければご自由に」

素っ気ない文伽の返答に、マヤマはうっと言葉をなくした。しかし、すぐさま声を張り上げ、

『——梨花さん、元気でね! 葵《あおい》さんと再会できるように、僕も祈ってるからね!!』

と、そんな嬉《うれ》しい言葉をかけてくれた。

涙が今にも溢れ出してきそうだ。梨花も何か言葉を返そうとするのだが、胸がいっぱいで声が上手《うま》く出てこない。梨花は万感の思いを込め、その場で深く、深く頭《こうべ》を垂れた。文伽たちの気配《けはい》が屋上から消えた後も、長い間、そうして頭を下げ続けていた。

……しばらくして、梨花はひどく穏《おだ》やかな気持ちで、スッと顔を上げる。屋上には梨花以外の姿はなく、まるで長い夢を見ていたように、朝日が清冽《せいれつ》に世界を照らし出していた。

梨花は天を仰ぐと、静かに瞳《ひとみ》を閉じ、思う。

葵は一つ、重大なことを忘れている。手紙には、次に再会する時が約束を果たす時だと、そう書かれていたけれど――

十六歳。

それが、死ぬのに一番適した年齢《ねんれい》。

二人一緒《いっしょ》に空を飛ぶには、何度も何度も転生し、お互いが十六歳になる時を待たなければならない。

それは、何十年後？

何百年後？

あるいは、何千年後？

考えるだけで眩暈《めまい》がしてきそうな、とてもとても気の長い話。

でも、今になって、それもいいかなと思う。

この地上での生活は、自分たちにとって、約束を果たすまでの寄り道のようなものだけれど。

葵《あおい》とする寄り道は、どんな時代でも、きっと、とても楽しいものに違いないから……。

そんなことを考えながら、梨花《りか》は約束の果たされる、遠い未来のことを夢想してみる。

何十年、何百年、何千年という時が経《た》って、時代も、社会も、考え方も大きく変化したとしても、でもやはり、人はどこか憂鬱《ゆううつ》で、わざとらしい溜息《ためいき》なんかつきながら、ああ、死んじゃいたいな、なんて陰気なことを考えてる。

そんな、遥《はる》かな世界で。

たとえば、こんな終わりの始まり——。


ある日の昼下がり。

梨花は学校の帰り道、いつものように公園に寄り、空いている白いベンチに腰掛ける。何となく空を見上げると、昆虫のような自動車が、整然《せいぜん》と青い空を飛び交っている。

梨花は小さく吐息し、あの車から飛び下りれば楽になるのかな、なんて埒《らち》もないことを考えた後、すぐさまかぶりを振って否定する。

……それだけではダメだ。

そんなことをしたところで、救われはしない。

なぜなら自分は、片羽《かたは》を欠いた蝶《ちょう》だから。片方の羽根だけでは、死を選んだところで、あの懐《なつ》かしの場所には帰れはしない。

そんなことをつらつらと思いながら、ぼんやりと空を見続けている時だ。ふと視線《しせん》を感じて、梨花は横を見やる。するとそこには、いつの間に隣《となり》に腰掛けたのか、自分と同い年ぐらいの少女の姿がある。その少女は、何だか興味深《きょうみぶか》そうに、じっとこちらを見つめてくる。

（あれ？　この子、どこかで会ったような……）

梨花がそんなことを考えた時だ。少女はにっこりと魅力的《みりょくてき》に微笑し、空を軽く指差す。そして唐突《とうとつ》に、こう問いかけてくるんだ。


「——君は空を飛べる？」


その言葉を聞いた瞬間《しゅんかん》、自分はわけもわからず泣き出しちゃうんだ。きっと。嬉《うれ》しさと愛《いと》しさが急激《きゅうげき》に込み上げてきて、人目も憚《はばか》らずボロボロ泣いちゃう。

やがて涙と共に全《すべ》てを思い出したなら、顔を上げ、彼女にこう告げようと思う。

二人一緒《いっしょ》に、あの懐かしの場所へと帰って行くために。

悠久《ゆうきゅう》の時を越えた、かつてのあの約束を果たすために。

満面の笑《え》みさえ浮かべ、彼女に、こう告げようと思う。

「……ええ。あなたと一緒《いっしょ》なら、きっと飛べるわ」

――――『ひとひらの想い』

マヤマは〝死後文《シゴフミ》〟を届ける配達員たちのサポート役として生み出された、巨大な杖《つえ》の形をしたマジックアイテムである。

マヤマはこれまでに数多くの死者や生者に係《かか》わり、数多《あまた》の彩りを持つ想《おも》いに触れてきた。それらは『人間』という存在を理解するための膨大《ぼうだい》な知識《ちしき》の一端として、マヤマの中に蓄積《ちくせき》されている。

――しかし。

実はマヤマは、未《いま》だに人間という存在がよく理解できないでいる。

友人が死んで悲しいとか、自分を殺した犯人が恨めしいとか、そういった単純な心の動きならば、数式に当てはめるような感覚で理解できる。でも、どうやら人間はそんなに短絡的な生き物ではないらしい。悲しみに押《お》し潰《つぶ》されてしまう弱い人間がいたかと思えば、その悲しみを成長の糧《かて》に変えてしまう強い人間もいる。それだけならまだしも、自分を殺した犯人を慈愛の心で許す、なんていうケースに出会ったりすれば、もうはっきり言ってちんぷんかんぷんだ。

なぜそんな結論《けつろん》に至るのか、きっと数式好きなアインシュタインも真《ま》っ青《さお》。

わからないといえば、相棒の文伽《フミカ》についてもそうだ。

彼女の仕事はシゴフミを届けること。それさえ終わってしまえば、後は差出人や受取人の問題であって、文伽には全く関係ないこととなる。けれど、彼女はどうやらそうは考えていないらしい。係わったところで何のメリットもないのに、スケジュールを無視してまで好き勝手に行動して、いつもマヤマを困らせる。上から怒られるこっちの身にもなって欲しいとは思うのだが、仕事熱心《ねっしん》であることには違いないので、あまり強くも言えない。

……まったく。

人間に係わる度《たび》に、マヤマは頭を抱えたくなる。どうして人間という存在は、こんなに自分勝手でわがままなんだろう。泣き虫で怒りっぽいんだろう。脆《もろ》く儚《はかな》い生き物なのに、他人のことで傷つくことも否とせず、前を向こうと足掻《あが》くのだろう。

いくつもの生と死に係わってきても、人間という存在は未だ濃《こ》い霧《きり》の中。

だから今日《きょう》もマヤマは、いつもの口癖《くちぐせ》を溜息《ためいき》まじりに洩《も》らしてしまう。

『……人間って、よくわからないな』

❦　❦　❦

市立病院の中庭にあるイチョウの木に、文伽はゆったりとした感じで背中を預けている。その隣《となり》に立てかけられているマヤマはしかし、文伽ほどのんびりするつもりはなく、先程から今回の仕事についての情報を事細かに伝えていた。

『——だからね、今から会いに行く典子《のりこ》さんは元々病弱だったんだけど、そういった無理が祟《たた》ったんだろうね。もうすぐここの病室で亡くなっちゃうんだ。——7九角《かく》』

「同金《きん》」

『……ねえ文伽《フミカ》、ちゃんと聞いてる？　5八飛成《ひなり》』

「聞いてるわよ。7八歩《ふ》」

どうだかなぁ、とマヤマは思う。

仕事に対する詳細な情報を得るということは、シゴフミの受け渡しに大きなプラスとなる。できることならば全《すべ》ての仕事の前に的確《てきかく》な情報を伝えたいところではあるが、時間の都合で上から回ってくるはずの情報が間に合わず、予備知識《ちしき》なしに死者や生者の許《もと》に出かけていくことは多い。今日《きょう》はスケジュールに余裕があったのでレクチャーに入れたのだが、肝心の文伽は相変わらず反応に乏しく、きちんと聞いているのかどうかも怪しいものだ。

マヤマが押《お》し黙《だま》っていると、文伽はチラリとこちらを見て、言う。

「——次は後手のマヤマの番よ。どうするの？」

『え？　ああ、うん。そうだね……』

文伽が促しているのは、暇潰《ひまつぶ》しに始めた将棋と呼ばれるゲームのことである。九×九マスに区切られた盤上《ばんじょう》を、飛車《ひしゃ》や角行《かくぎょう》と呼ばれる駒《こま》が縦横無尽《じゅうおうむじん》に動き回る、戦略性の高い知的なゲームだ。仕事のサポートに役立てるため、人間の文化についても造詣《ぞうけい》の深いマヤマではあるが、将棋の指し方を教えてくれたのは文伽である。将棋という概念は知っていても、自《みずか》ら将棋を指す機会《きかい》などはないと、ルールまでは知らなかったのだ。

『えっと、ろく……じゃない。8六歩』

「7一飛」

『あうっ……』

文伽は淀《よど》みなく淡々と次の手を指してくる。実際の盤を前にしてではなく、頭の中で将棋盤を展開して指しているのだ。会話をしつつゲームを進めるだけでも困難《こんなん》なのに、よくまあこれほど迅速《じんそく》に的確な手を指してくるものだ。人間の思考回路についてもまだまだ認識が足りてないなと、マヤマはそんなことを思いつつ——

『今の手、待った』

それを聞き、文伽は呆《あき》れたように嘆息した。

「……前にも言ったでしょ？　待ったはナシ。だいたい、〃待った〃なんて教えてないのに、どこから覚えてくるのよ」

勝てなくて悔しいからこっそり将棋の勉強を始めました、とは口が裂けても言えないマヤマは、そのまま思考に沈む。

仕事を円滑にこなすためにサポート役に徹《てっ》する、というのがマヤマの存在意義である。それゆえマヤマは感情というものを極力排し、仕事に取り組んできた。しかし、文伽《フミカ》を相棒に持つようになってから、その様相もだいぶ変わってきたように思う。シゴフミのやりとりをする『人間』という存在に対する関心の持ち方は大きく変化してきているし、何より感情に起伏が生まれてきたということは、新鮮《しんせん》な驚《おどろ》きと共にマヤマ自身が自覚している。

まあ、要するに――勝負ごとに負ければ、悔しい。

特にこうして、平静な感じであっさりと打ち負かされると、至極悔しい。

〝待った〟なんて言っておきながら何だが、実力差を見せつけてこてんぱんにやっつけて、文伽の口からしばらく将棋の「し」の字も出なくなるようにしてやりたいと思うほど――クヤシイ。

マヤマの時計がカチリと時を刻んだ。もう少しで仕事にかかる時間だ。文伽はケピと呼ばれる帽子を被《かぶ》り直し、仕事の準備を整《ととの》える。その仕草《しぐさ》がまたクールで決まっているものだから、何だか余裕を見せられているようでマヤマは気に食わない。せめてこの対局中の将棋でぎゃふんと言わせてやりたいと、マヤマは一生懸命《いっしょうけんめい》に頭を働かせる。

その時、不意に雷光のような閃《ひらめ》きがやってきた。マヤマは身震《みぶる》いするような感覚に襲《おそ》われる。

……ついに神の一手に触れてしまったのか、と思う。

何て斬新《ざんしん》な攻撃《こうげき》だ、と思う。

言葉を失っているマヤマに、「そろそろ行く？」と文伽が問いかけてきた。マヤマはその問いには応《こた》えず、たっぷりと時間を取った後、おもむろにその一手を告げる。

『——7七歩《ふ》、打ち』

それまですぐさま応じる手を返してきていた文伽だが、ここにきて初めて口を噤《つぐ》んだ。

いやー、気付いちゃったかなぁ？　と、マヤマは得意になる。

そうなんだよ～。

これ、まだ数手かかるけど、完璧《かんぺき》な「詰み」の一手なんだよ～。

マヤマはできることならばその場でふんぞり返りたい気分になった。九十八連敗という屈辱的な記録《きろく》もここにきてやっと脱することができる。文伽をぎゃふんと言わせる瞬間《しゅんかん》が間近に迫っている。

——さあ、来い！

ごめんなさいでも参りましたでも降参でも何でもいい。投了を示す言葉よ、文伽の口より、出《い》でよ!!

文伽はイチョウの木からゆっくりと身体《からだ》を離《はな》すと、僅《わず》かに目を伏せたまま呟《つぶや》いた。

「……悪かったわ」

パアアアア、という幸せな効果音がマヤマの中で流れ、気持ちを盛り上げた。世界に光が溢《あふ》れる。矜持《きょうじ》が満たされる。

ついに来た。

ついにこの時がやって来た。

とうとう文伽《フミカ》をぎゃふんと言わせることができた。

得も言われぬ至福の時に浸っていると、文伽がマヤマを手にして、普段《ふだん》通りの冷静な口調《くちょう》で言う。

「……知ってるとばかり思っていたけど、私のルール説明が不足してたみたいね」

え？　と声を上げる間もなかった。文伽は静かな瞳《ひとみ》でマヤマを見つめ、その一言を告げる。

「その手、反則よ。二歩《にふ》って言うの」

………………ぎゃふん。

❧
❧
❧

目指す病室は簡素《かんそ》な個室だった。ベッドの周りでは白衣を着た病院関係者がしばらく慌ただしく動いていたが、やがて腕時計を確認《かくにん》した医師によって患者の死亡時刻が告げられる。

病室には医師と看護婦《かんごふ》しかおらず、遺体にすがりついて泣き崩れるような人物はいなかった。

故人には身内はおらず、この場に唯一居合わせてもおかしくない彼女の恋人は、今は仕事に出ているという情報がマヤマの許《もと》にはきている。そのためベッドの傍《そば》に寄り添っているのは、病院関係者を除けばただ一人――死亡した当人、長谷川典子《はせがわのりこ》の魂のみである。

典子は先月に二十二歳の誕生日《たんじょうび》を迎えたばかりということだ。幼い頃《ころ》から病弱だったという上からの報告を裏付けるように、生前の姿に反映される魂も線《せん》は細く、まるでガラス細工のような脆《もろ》さが窺《うかが》える。

典子はこれまで頑張ってくれた自分の身体《からだ》を労《いたわ》るように、穏《おだ》やかな眼差《まなざ》しで遺体を見つめている。覚悟はしていたのだろう。その瞳《ひとみ》には運命を呪《のろ》う歪《ゆが》んだ光も悲哀もなく、静かな諦観《ていかん》だけがたゆたっている。

マヤマは小さな声で文伽に話しかけた。

『……自分が死んでること、ちゃんと理解してるみたいだね』

仕事がやりやすくていい、ということを言外に匂《にお》わせたのがマズかった。文伽は咎《とが》めるような視線をマヤマに送ってくる。

こういうところも、人間のよくわからない一部分である。

仕事の効率を考えることは一般的なことであるだろうに、どうして初対面の人間の死に必要以上の尊厳《そんげん》を払うのだろう？　細かいことにいちいち気を配っていたら、シゴフミを届ける仕事は成り立たなくなってしまうのに。

マヤマがそんなことを考えている時、典子が自分の遺体からふと顔を上げ、入り口傍にいる文伽と視線を合わせた。典子はこの時点で初めて文伽の存在に気付いたらしく、軽く目を瞠《みは》る。

典子は生前から勘の鋭《するど》い人間だったのか、文伽が自分と同じく自然の摂理《せつり》を超越した存在だということは、どうやら一目見ただけで直感したようだった。

――さて、第二関門《ひ》だ。

マヤマは気を引き締《し》める。

魂だけの存在になっても警戒心《けいかいしん》というものは残るらしく、文伽《フミカ》の出現にあからさまに怯《おび》える者もいる。これからきちんと自分たちの仕事について説明し、理解を得なければならない。とはいえ、相棒の文伽は無口で端的な物言いしかしないため、マヤマのサポート次第となることも多々ある。責任重大な場面である。

マヤマが緊張《きんちょう》を滲《にじ》ませながら眺める先で、典子《のりこ》は周りで事後処理にかかっている看護婦《かんごふ》さんたちに、

「あ、お世話になりますー。すみませんがちょっと通してもらえますかー?」

などと、何だかのほほんとした口調《くちょう》で声をかけつつ、文伽のいる方へやって来ようとしている。

もちろん、看護婦さんたちに彼女の声は届いていない。そもそも肉体がないのだから道を譲《ゆず》ってもらわなくても通れるのだが、典子は人と人の間を縫《ぬ》うようにしながら歩を進める。まだ自分の置かれている状況に適応できていないのか、それとも性格だろうか。マヤマはたぶん後者だろうと推測する。

典子は文伽の前までやって来ると、

「どうも初めましてぇ。わたし、長谷川《はせがわ》典子といいますー」

と、間延びした声で挨拶《あいさつ》してきた。その顔には子供の幼さを残したまま成長したような、純粋な笑顔《えがお》が浮かんでいる。

文伽はいつもの淡々とした口調で、「私は文伽。こっちは相棒のマヤマ」と、必要最低限の面白味《おもしろみ》も可愛《かわい》げもない挨拶を返した。それを聞いていたマヤマは、ほうと溜息《ためいき》をつく。

……まったく。

そんなつっけんどんな受け答えをしていたら、「どうぞ警戒してください」と言っているようなものだ。どうしてもう少しにこやかな応対ができないんだろう？　そういったしわ寄せは、サポート役であるこっちに全部回ってきちゃうじゃないか。

不満たらたらな気持ちではあったが、そんな様子《ようす》はおくびにも出さず、マヤマは弾んだ声で典子に話しかける。

『こんにちは、典子さん。いきなりのことで驚《おどろ》いちゃったかもしれないけど、典子さんに話があるんだ。怖がらないで聞いてくれる？』

――警戒心の「け」の字もなかった。

典子はぱっと顔を輝《かがや》かせてマヤマを見ると、素敵《すてき》なおもちゃを見つけたとばかりに、フレンドリーに触れてくる。虚を突かれたマヤマは軽いパニックに陥った。

えっ!?

なに!?

ちょっ、くすぐったいくすぐったい！　そんなべたべた触らないで!!　親しき仲にも何とやら!!　というか初対面、初対面！

……いや今更なに文伽《フミカ》に「嚙《か》みつきませんよね？」って訊《たず》ねてるの？　僕、見ての通り犬じゃないからね？

だから犬じゃないから撫《な》でられてもっ、全然っ、嬉《うれ》しく…………ゴロゴロ。ゴロゴロ。

──ふぇっ!?

何で時計の短針を逆回しにしようとするの!?　それのどこに興味《きょうみ》持ったの!?　うわ痛い痛い！　もげるもげる!!

ちょっ、どこまで自由人なのっ!?

怒濤《どとう》の攻撃《こうげき》に翻弄《ほんろう》されるマヤマは助けを求めようとしたが、味方であるはずの文伽は静観《せいかん》しているだけだ。

しばらくしてやっと満足いったのか、「マヤマくんって面白《おもしろ》いねー？」といった言葉を残し、典子《のりこ》はマヤマから手を離《はな》す。

……た、助かったぁ。

喋《しゃべ》る杖《つえ》なんて不可解なものを前にしたら、初見の人間は大抵びっくりして距離《きょり》を置くものなのに、まさか擦《す》り寄ってくるとは思わなかった。予想外の行動に出られてマヤマの思考はへろへろだ。

そのことを冷静に見て取ったらしい文伽は、マヤマに任せず自《みず》ら仕事を進めようと考えたようだ。

「――話、続けていいかしら?」

と、典子に問いかける。

その如才ない言動が何ともいえず可愛《かわい》げがない。将棋でも何でもいいから、一度くらい痛い目にあうべきなんだ。

マヤマが恨めしい気持ちでそんなことを思っていると、好奇の目を文伽へと移していた典子が、不意にふわっと柔らかく笑った。

そして。

文伽に。

大の大人《おとな》でもその雰囲気に飲まれてしまう、あの文伽に。

唐突に、がばっと抱きついた。

「――っ!?」

文伽の目が僅《わず》かに見開かれる。それは本当に微々たる反応だったが、普段《ふだん》の文伽を知るマヤマからすれば、彼女の受けた衝撃《しょうげき》は決して小さくないというのがわかる。典子の勢いに押されたのかそのまま後退《あとずさ》りしそうになる文伽だが、右足を半歩引くだけでその場に何とか止《とど》まったのは、彼女の最後の意地だったのかもしれない。

予測不可能な動きを見せた典子《のりこ》は、頬《ほお》ずりなんかしながら、

「んー。文伽《フミカ》ちゃん、可愛《かわい》いー。わたし、文伽ちゃんみたいな妹が欲しかったな～」

などと、能天気なことを言っている。

逸速《いちはや》く我《われ》に返ったマヤマは、はたと思う。

……これはチャンスだ。

勝てば官軍。反則技の二歩《にふ》だろうが、この際どうでもいい。文伽にぎゃふんと言わせる千載《せんざい》一遇《いちぐう》のチャンスが、今まさに目の前にいぃっ!!

だからマヤマは、その一手《ことば》を固まったままの文伽にぶち込んだ。

『……文伽、もしかして照れてるの？　顔、真《ま》っ赤《か》だよ？』

んなのは嘘《うそ》っぱちだったけれど。

羞恥《しゅうち》のためか、怒りのためか、はたまた不意打ち大成功か――

文伽はその一言に顔を僅《わず》かに朱に染めると、苦虫を思いきり噛《か》み潰《つぶ》したような表情で、マヤマのことをキッと睨《にら》み据えた。

――九十九敗と、一勝。

マヤマは内心でほくそ笑《え》む。

場所を中庭へと移すと、マヤマは自分たちの仕事について大まかに説明した。突飛《とっぴ》な行動が目立つ典子だが、理解力は高かった。自分の置かれた状況も文伽の仕事もすぐさま理解し、シゴフミを送りたい相手に、相馬《そうま》貴明《たかあき》という人物の名をあげた。

その人物の名前が出てくるということは、マヤマの予想の範疇《はんちゅう》だった。

――相馬貴明。

六年前に単身ヨーロッパへと渡り、高名な奇術師であるロベール・ピエルスに師事してマジックの腕を磨いた、二十四歳の若手天才マジシャンである。

典子は彼の恋人でありマジックのアシスタントだったのだが、身体《からだ》の不調《ふちょう》を隠してまでショーの練習と多忙なステージをこなしていたためか、突然に意識《いしき》を失ってこの病院へ緊急《きんきゅう》入院した。それから一週間、ずっと昏睡《こんすい》状態が続いていたのだが、彼女はそのまま帰らぬ人になったという次第である。

イチョウの木の根元に広がる青々とした芝生《しばふ》に座り込んで、典子はうーんと頭を捻《ひね》りながら、シゴフミの文面を考えている。その表情は真剣そのもので、声をかけることも憚《はばか》られる状況だ。

イチョウに寄りかかっている文伽も同じようなことを思っているのか、瞳《ひとみ》を静かに閉じたまま、典子《のりこ》が手紙を書き終えるのをただ黙《だま》って待っている。

しばらくすると、典子は「うん」と一つうなずき、ペンを走らせ始めた。

木の幹に立てかけられているマヤマには、便箋《びんせん》に躍《おど》る文字がちょうど覗《のぞ》ける。さてどんなことを書くのだろうと思って見ていると、彼女が綴《つづ》ったのはただ一言——。

『身体《からだ》に気をつけて、これまで通り頑張ってください』

典子は字面《じづら》がいいか確《たし》かめるように、便箋を少し離《はな》して眺める。するとどうやら空白部分が寂しく思えたようで、隅の方に可愛《かわい》らしいお花を描《か》き始めた。次第に絵を描く行為自体が楽しくなったらしく、空白部分に花が増え、太陽が昇り、蝶《ちょうちょう》々が飛び始めるに至ってやっとマヤマが声をかける。

『ち、ちょっと典子さん。それだけでいいの？　他《ほか》に書くことないの？』

その言葉に典子はきょとんとした顔を見せたが、すぐさまポンッと手を叩《たた》いた。そして嬉々《きき》として虹《にじ》を描き——

『いやそうじゃなくて！　これ手紙だからね!?　お絵かき帳じゃないからね!?』

その騒《さわ》がしさに気を惹《ひ》かれたのか、文伽《フミカ》がイチョウの木から身体《からだ》を離し、手紙を覗き込んだ。

文伽は僅《わず》かに眉《まゆ》をひそめ、言う。

「……もっと伝えたいことや言いたいこと、あるんじゃない？」

平坦な声ではあったが、付き合いの長いマヤマにはわかる。文伽もやはり、不満な気持ちを抱いているんだ。

それも当然だと思う。

仕事にかかる前に文伽にも伝えていたことだが、上からの情報によれば、貴明《たかあき》という人物は仕事熱心《ねっしん》であるがゆえに、少しばかり薄情《はくじょう》なところがあったらしい。典子の身体を案じて休ませていれば彼女は倒れることもなかったろうに、貴明はショーを成功させることに頭がいっぱいだったらしく、結局最後まで典子の身体の不調《ふちょう》に気付くことはなかった。

それだけではなく、意識《いしき》を失って入院した典子に付き添うこともせず、空いたアシスタントの穴を埋める人材を探すために、最近まであちこち奔走《ほんそう》していたらしい。その甲斐《かい》あって今日《きょう》のマジックショーは予定通り開催されているわけだが、代わりに恋人の死に目に立ち会えなくなったというこの状況下では、酷薄と言われても仕方ない。文句の一つや二つ、典子には言う権利があるのでは、とマヤマでさえ思う。

しかし典子は微笑してみせただけで、手にしている手紙へと視線《しせん》を戻す。そして、

「身体に気をつけて、これまで通り頑張ってください」

と、その文面を声に出して読むと、満足そうに一つうなずいた。彼女は顔を上げ、はっきりと言う。

「——ええ。この一言さえ伝われば充分です」

これ以上、伝えるべきことなんて何もないでしょう？　そう言わんばかりの科白《せりふ》に、マヤマは何も言えなくなる。

……ああ、まったく、本当に。人間って、よくわからないな。

苦しければ弱音を吐けばいい。悲しければ涙を流せばいい。怒っていれば取り乱しても構わないし、楽しければ心の底から笑えばいい。なのにどうして、自分の気持ちを押し殺してまで、偽りの言葉を吐くのだろう？

人は愚かなのか、それとも気高いのか。

マヤマには、その答えさえ出せそうにない。

人として共感する部分があったのか、口を噤《つぐ》んでしまったマヤマとは違い、文伽《フミカ》は納得するように小さくうなずいた。

文伽は静かに言い切る。

「あなたのその想《おも》いは、私が必ず届けるわ」

その言葉に典子《のりこ》は嬉《うれ》しそうに微笑《ほほえ》むと、便箋《びんせん》を封筒にしまってきちんと封をし、シゴフミ用の切手を貼《は》りつける。そしてその手紙を文伽にしっかりと手渡し、

「よろしくお願《ねが》いします」

と、丁寧《ていねい》に頭を下げた。

文伽がそれに応じ、いつものように「ええ」と端的な返事をした、次の瞬間《しゅんかん》である。典子はえへへーと笑ったかと思うと、先程のように文伽に唐突《とうとつ》に抱きついた。

「文伽ちゃん、ありがと～。んー、いい子いい子」

典子は文伽を抱き締《だ》《し》めたまま、帽子越しに頭をよしよしと撫《な》で始める。なかなか勇気ある行動である。

文伽は半ば仰《の》け反《ぞ》った状態で、その責め苦に耐えているようだった。まあ、突き飛ばしたりしないだけ、彼女もまんざらではないのかもしれない。典子は文伽のような妹が欲しかったと言っていたが、こうして傍《はた》から眺めていると、二人が仲のいい姉妹に見えなくもない。

……お姉さん、か。

確《たし》かに、文伽には無条件に甘えられるような存在が一人くらいいた方がいいのかもしれない。たまに小面憎《こづらにく》くなるほどクールな文伽だが、その内面が外見ほどに冷たいわけではないということを、相棒であるマヤマはよく知っている。時には愚痴《ぐち》を零《こぼ》し、弱音を吐けるような存在が、文伽の傍《そば》にいればいいのにと思う。

文伽と対等の立場にあるマヤマでは、そんな絶対的な安心を与える存在にはなれないから。

それがほんの少しだけ、悲しいことに思えるから……。

そんな思考に沈んでいると、文伽を抱き締めていた典子が、はたとマヤマを見た。典子は文伽から身体《からだ》を離《はな》し、マヤマにすっと近付く。それはごく自然な動作ではあったのだが、「うわこっち来る⁉」と思ったマヤマとしては、典子《のりこ》が退路を断ちながらジリジリとにじり寄ってきたようにも感じられた。

「マヤマくんも、よろしくね～？」

そう言って、典子の手が伸びてくる。

――いやだからっ、僕は犬じゃないからっ、撫《な》でられても別に……ゴロゴロ。ゴロゴロ。

❧ ❧ ❧

貴明《たかあき》のマジックショーは、近年建て替えられた、立派な造りの文化会館《かいかん》で行われていた。食事会との抱き合わせなどではなく、マジックだけを売り物にした、純粋なステージである。今は全国各地を回る巡業の最中であるらしく、ここで開かれる明日《あした》のショーも終われば、今度は首都圏での公演が待っているらしい。その集客力を鑑《かんが》みれば、貴明の人気の高さが窺《うかが》える。

会場である大ホールに足を踏み入れてみると、まだショーは続いていた。腹の底から駆け上がってくるような連続するドラム音に、予定された驚愕《きょうがく》を待ち侘《わ》びるというどこか矛盾《むじゅん》した緊張感《きんちょうかん》。暗闇《くらやみ》に仄見《ほのみ》える観客《かんきゃく》の後頭部はマリモのように時に揺らめき、その光景を眺めているだけで何だかイリュージョンっぽい。

そして、照明の当てられたステージに目を移せば、そこには相馬《そうま》貴明の姿がある。

正統なマジックを習ったという自負ゆえか、彼の服装も奇術師の王道をいっていた。燕尾服《えんびふく》を身に纏《まと》い、頭の上には古風なシルクハット。手にあるステッキはそのままマジックの小道具にもなりそうだが、片眼鏡《モノクル》はさすがにただのファッションアイテムだろう。日本人にはあまり似合いそうにないその服装だが、長身で端整《たんせい》な顔立ちの貴明にはぴったりとハマッていた。

ステージ上には彼の他《ほか》に、典子の代わりに入った新しいアシスタントであろう、煌《きら》びやかで露出《ろしゅつ》の多い衣装を着た若い女性の姿もある。その女性はたどたどしい動きを見せるでもなく、妖艶《ようえん》な微笑をその口許《くちもと》に浮かべたまま、流れるような動作で貴明の補佐をこなしていた。

今の状況でシゴフミを届けに行くわけにもいかないと判断したらしく、文伽《フミカ》はホールの入口付近で佇《たたず》んだまま、ショーが終わるのを泰然と見守る。マヤマもその判断には賛成《さんせい》なので、ステージで繰《く》り広げられるマジックを、しばらくぼんやりと眺めてみた。

……マジックショーかぁ。

タネも仕掛けもあるってわかってるのに、こんなの見て何が面白《おもしろ》いんだろ？　人間って、本当によくわからないな。

それで？　次はどんな手品をするの？

なになに。ドラキュラが入っててもおかしくないような、立てた棺《ひつぎ》をステージの真ん中に持ってきて……うん、そうそう。その場で一回転させて、裏側にも何もないこと確《たし》かめさせてくれなきゃね。——よしっ、大丈夫。見た限りでは、単なる棺だね。

棺《ひつぎ》の蓋《ふた》を横にスライドさせて、その棺の中に女性が入る、と。なるほどなるほど。いわゆる消失マジックってやつだね？

蓋を棺に戻して……アハッ、古風だね。黒い布を棺に被《かぶ》せて、呪文《じゅもん》までかけるんだ。

それでおもむろに布を取り除いて、蓋を横にずらしてみると――ハイ、お見事～。消えた消えた～。皆で拍手～。

盛り上がる観客《かんきゃく》を尻目《しりめ》に、マヤマはふふんと鼻で笑いたいような気分になる。

正直、ただの児戯《じぎ》にしか見えない。

マヤマは正真正銘のマジックアイテムなのである。マヤマがその気になれば、大質量の力をぶち込んで空間ひん曲げて、人間どころかイージス艦《かん》だって時空の彼方《かなた》に吹き飛ばすことができる。まあ、そんな力の放出は規則違反だし安全装置《セーフティー》も当然かかっているので、「試しにやっちゃう？」なんて軽いノリで力を行使することは決してないが――できるのである。

だから、マヤマにとってはこんな手品、ただのお遊びにしか思えない。マヤマは退屈しながら、ぼーっと思考する。

……はいはい。どうせ棺の裏側がパカッと開くようになってて、そこに隠れてるんでしょ？

そうなんでしょ？

まったく。お客さんもそれぐらい気付かなくちゃ――って、その棺、もう一回転させちゃうの？　だってそんなことしたら裏側を見られちゃうよ？　タネがばれちゃったら手品にならない……あれ？　何でいないの？

――ああ、わかった。そういうことか。横にずらした棺の蓋でしょ？　その裏に隠れてるんでしょ？

いや～、危なかったよ～。

危うく騙《だま》されるところだったよ～。

でも相手が悪かったね？　何たって僕は本物のマジックアイテムだからね。そんな罠《わな》には易《やす》易《やす》と引っかかってあげな――

んんっ!?

蓋、持ってっちゃうの？　そこに隠れてるんじゃないわけ？　だったら、さっきの女の人は一体どこに消えたの？

――あっ、そうか！

今度こそ正解だよ。きっとあの棺にはミラーが仕込まれてて、その裏に隠れてるんだ。

いやー、よく考えてるね。この僕でさえなかなか気付けなかったんだから、わざわざ騙されに足を運んでるお客さんには見抜けないよ。うん、手品も意外と面白《おもしろ》いもんだね。

……へ？　その棺も持ってっちゃうの？

いやでも、それじゃステージ上に何も残らないじゃない。消すだけっていうのもなかなか斬《ざん》新《しん》な手品だけどさ、こういうのってやっぱり登場シーンが一番盛り上がったりするもんじゃないの？　手品師としてはその辺どうなの？

え？　なに？　何を指差してるの？

ああ、最初に棺《ひつぎ》にかけた黒い布？　それがどうしたの？　それ、用が済んだからその辺に放り投げてただけでしょ？

床に落ちてた黒い布を手にとって広げて、そのまま頭の高さぐらいに持ち上げて――って、まさかぁ。その布をバッと翻《ひるがえ》したら、向こう側に女の人がいるっていうの？　それ、ぺしゃんこになってたやつだよ？　厚みが数センチの人間しかそんなとこには隠れられないよ？　そんなとこから現れたら、そりゃあ長閑《のどか》なインド人も、
びっくり――――――――――――――――っ!!

うそうそ何で!?　うそ何で!?

あぁっ、わかった！　実は手品師を騙《かた》った超能力者なんでしょ!?　超能力的なモノ、ちょろっと絡んでるんでしょ!?　そうなんでしょ!?

……それはダメだよ～。

超能力者が手品やっちゃダメだよ～。

そいつは詐欺《さぎ》だよ～。

その時、文伽《フミカ》がポツリと呟《つぶや》いた。

「……マヤマ、うるさい」

『えっ？　僕、声に出してた？』

「ええ。手品にはきちんとしたタネがあるんだから、耳元でそんなに騒《さわ》がないで。うるさくて仕方ないわ」

冷静にそう告げられ、マヤマはむっとなる。

『それじゃあ文伽はあの手品のタネ、わかったの？』

「タネがわかれば手品とは呼ばないわ。それはただの技術よ」

『文伽もわからないんだね？』

「…………マヤマ、本当にうるさい」

どうやらマジックショーはもう閉幕らしい。アシスタントの女性と共に、貴明《たかあき》は観客席《かんきゃくせき》に向かって優雅《ゆうが》に一礼。ステージの幕もそれに合わせてスルスルと下りてきて、盛大な拍手がホールに響《ひび》き渡った。

文伽はケピを被《かぶ》り直すと、手にしているマヤマに声をかける。

「――それじゃ、行くわよ」

その言葉に、マヤマも手品のことはいったん頭の隅に追いやり、気を引《ひ》き締《し》め直して応《こた》えた。

『うん、了解』

典子《のりこ》の訃報《ふほう》は既にスタッフ全員の知るところとなっていたのだろう。ショーは大成功だったというのに、幕の下りた舞台《ぶたい》からはとうに高揚が去っていた。

スタッフの一人であろう男が足早に貴明《たかあき》に駆け寄り、車を呼んでおきますから早く病院に行ってあげてくださいと、どこか責めるような口調《くちょう》で告げる。

貴明は僅《わず》かに眉《まゆ》を寄せたようだったが、うなずき返しただけで何も言わなかった。新しいアシスタントの女性に労《ねぎら》いの言葉をかけると、舞台袖《ぶたいそで》へと歩き出す。しかしその時になって、舞台の端にいる文伽《フミカ》の存在にはたと気付いたらしい。貴明の足がぴたりと止まり、十メートル程の距離《きょり》を置いて文伽と対峙《たいじ》した。

先程のスタッフが訝《いぶか》しげな表情になり、貴明へと声をかける。

「相馬《そうま》さん、どうかしたんですか？　私服なら控え室に運んでおきましたから、そちらで着替えてください。車は裏手に回してもらいますから、後は非常口の方から――」

「あの少女はどこから入ってきたんだ？　誰《だれ》かの知り合いか？」

「――少女？」

スタッフは頓狂《とんきょう》な声を上げて貴明の視線《しせん》を辿《たど》るが、何を言ってるんだとばかりに小首を傾《かし》げる。貴明は振り返り、今のやりとりを聞いていたアシスタントへと視線をやったが、彼女は不安げな表情を浮かべるだけだ。

文伽に向き直って柳眉《りゅうび》をひそめる貴明に、マヤマは話しかけた。

『他《ほか》の人たちに訊《たず》ねても無駄《むだ》だよ？　僕らの姿は貴明さんにしか見えないし、声も聞こえないから』

マヤマのその言葉に困惑の度合いが深まったらしい。貴明は目の前の不可思議《ふかしぎ》な存在にどう対処していいのか態度を決め兼ねているようだったが、やがて苦々しげに顔をしかめると、なぜかスタッフの男性を見やってこう問いかけた。

「――これは何の冗談《じょうだん》だ？」

問い詰められた男性は困惑しきった顔を浮かべる。貴明は小さく舌打ちし、止めていた足を再び踏み出した。舞台の端にいる文伽との距離が縮《ちぢ》まっていき、そして――貴明はスッと、文伽の脇《わき》を通り過ぎて控え室の方へと向かう。

『――へ？』

何らかのリアクションがあるとばかり思っていたマヤマは呆気《あっけ》にとられる。

文伽は背後を振り返ると、貴明の背中を見つめながらポツリと呟《つぶや》いた。

「……手強《てごわ》そうね」

控え室は衣装や手品の小道具置き場にもなっているらしかった。八畳ほどのスペースの部屋に、物の詰まったダンボール箱や衣装ケースが雑然と積《つ》み上げられている。

病院にはすぐさま向かうつもりらしい。貴明《たかあき》は羽織《はお》っていた燕尾服《えんびふく》の上着を脱ぎ捨てると、スタンダードなスーツに袖《そで》を通す。その背後から文伽《フミカ》が不意に声をかけた。

「いまさら急いだところで何にもなりはしないわ。彼女の遺体に会えるだけよ」

その言葉に貴明はピクリと動きを止めた。彼はやがてゆっくりと文伽の方へと身体《からだ》を向ける。その顔には僅《わず》かな驚《おどろ》きが見て取れた。

まあ、それもそのはずだ。

文伽たちは手品などではなく、、、、、、、実際に壁をすり抜けてこの部屋に足を踏み入れたのだ。ドアや窓が開く気配《けはい》すら感じられなかった貴明が、突然の侵入者に畏怖《いふ》の念を覚えてもおかしくはない。

貴明は眉《まゆ》をひそめ、いったいどこから入ってきたのか思案している様子《ようす》だ。しかし彼に解説する気などさらさらないであろう文伽は、淡々と言葉を続ける。

「肉体は魂の器でしかない。遺体に対面したところで、彼女があなたに伝えたかった想《おも》いは届きはしないわ」

そして文伽は、典子《のりこ》から預かった手紙を取り出し、言った。

「私は死者からの手紙を届ける仕事をしているの。あなた宛《あ》ての手紙、典子さんから預かっているわ。いまさら病院に出かける必要なんてない。彼女の想いは、きちんとここにある」

——沈黙《ちんもく》が落ちた。

文伽と貴明はお互いに無言で対峙《たいじ》する。マヤマはその様子を息をひそめて見守った。手紙を渡す瞬間《しゅんかん》はいつも緊張《きんちょう》する。この時点でこちらの存在を信じてもらえず手紙も受け取ってもらえなければ、後は我慢比べの長期戦へと突入することになってしまうのだ。そうなると次の仕事のスケジュール管理もすこぶる大変になるので、マヤマとしてはここで是が非にでも勝負をつけたい。

とはいえ——今回の仕事、勝算は高いだろうとマヤマは踏んでいた。何しろ〝見た目は単なる杖《つえ》〟であるマヤマが喋《しゃべ》るという先制パンチは食らわしたし、「文伽たちの存在は他人には認識《にんしき》されない」という場面にまで出くわせることができた。その上、こうして気付かれぬうちに控え室に侵入するというイリュージョンも披露《ひろう》したのだ。マヤマたちが只者《ただもの》ではないということは貴明にも充分に伝わったはずだ。

文伽は「手強《てごわ》そう」なんてことを言っていたけど、どうってことない。マヤマがそんなことを考えていた時、貴明がフッと冷笑にも似た笑《え》みを浮かべた。貴明はかぶりを振り、バカバカしいとばかりに言い放つ。

「何を言い出すかと思えば、くだらない。そんな御伽噺《おとぎばなし》に付き合っている暇はないんだ。今すぐ帰ってくれ」

その言葉にマヤマは声を失ったが、相棒の文伽《フミカ》はこういう展開も予想の範疇《はんちゅう》だったらしい。僅《わず》かに目を細めただけで、次の一手を思案する棋士のように、その身に沈黙《ちんもく》を纏《まと》う。

この事態が未《いま》だに信じられないマヤマは、勢い込んで言った。

『な、何で!? 僕らの存在は理解し難《がた》いものだとは思うけど、だからこそ文伽の言ってることは御伽噺なんかじゃないよ!? それぐらいわかるでしょ!?』

貴明《たかあき》はマヤマを一瞥《いちべつ》することもなく、文伽を見据えたまま薄《うす》く笑う。

「手にしている物が〝喋《しゃべ》る杖《つえ》〟だとでも言いたいのか？『この世の不思議《ふしぎ》には全《すべ》てタネがある』。私の師であるロベール・ピエルスの口癖《くちぐせ》だよ。二十万も払えば、素人《しろうと》でも扱える〝空飛ぶテーブル〟なんてものが手に入る時代だぞ？どういう作りになっているかは知らないが、喋る杖で驚《おどろ》くほど幼稚ではないさ」

手品道具と同列に扱われ、マヤマの誇りがいたく傷付いた。マヤマは憤然《ふんぜん》となって声を上げる。

『それじゃあ、僕たちの姿が他《ほか》の人たちには見えなかったことはどう説明するの!?』

「あんなもの、不思議でも何でもないさ。周りの者が全員サクラだったんだろう？屋外からテレビ中継される浮遊マジックと類《たぐい》は同じさ。中継先の人間にはタネが見えているが、全員がサクラだからタネなどないように振《ふ》る舞《ま》う。そうすれば中継を見ている視聴者《しちょうしゃ》には本当に飛んでいるようにしか見えない。全員がグルなら、皆には見えない幽霊《ゆうれい》を作り出すことなんて造作ないことだ」

そこまで言い終えると、貴明は文伽から視線《しせん》を外し、僅かに顔をしかめた。

「……典子《のりこ》はスタッフにも慕われていたからな。あいつが倒れてもショーを予定通りに開こうとした俺《おれ》に、反感を持っている者がいることは知ってる。だが、まさかこういう形で責められるとは思っていなかったよ。典子からの手紙だと？　マジックショーを手がけているからといっても、これはやり過ぎだ。演出好きも大概にしろと言いたいね。職業病《しょくぎょうびょう》なんて可愛《かわい》げのあるものじゃない。――イカレてる」

そう吐き捨てた貴明は、くるりと踵《きびす》を返し、部屋の隅に設置されている鏡台《きょうだい》へと向かった。ステージ用の化粧を軽く落とすつもりらしく、鏡台にあるメイク落とし用の紙《シート》を乱雑に手に取っていく。

その後ろ姿を眺めながら、マヤマは思う。

……ああ、文伽の言う通りだ。何て手強《てごわ》いんだ。

手品の予備知識《ちしき》があることがこれほど弊害《へいがい》になるとは思わなかった。もしかするとマジシャンは奇跡という存在そのものを信じないのかもしれない。しかしながら、ここで弱気になっている場合ではない。マヤマはさらに言い募る。

『じゃあさじゃあさ、僕らはこの部屋にどうやって入ってきたと思う!? 実は僕らは壁抜《かべぬ》けしたんだ! どう!? 普通の人間じゃそんなことできないでしょ!?』

「――手品はブラフで成り立っている。手品師が『右手のコインを左手に瞬間移動《しゅんかん》させる』と言ったとしても、もちろん瞬間移動なんかしていない。どうやったかがわからないだけで、きちんとしたタネは存在しているものさ」

『うっわヒネクレてる! 文伽《フミカ》、こうなったら目の前で壁抜けしてやろう!! あるいは上にかけあって安全装置の限定解除許可もらって、コインを空間の歪《ゆがみ》にぶち込む正真正銘の瞬間移動を今この場で――って、文伽?』

文伽はすっと歩き出し、貴明《たかあき》へと近付いていく。貴明はその気配《けはい》を感じてはいるのだろうが、相手にするつもりがないのか、振り返ることもせずにメイク落としを続けている。

しかし突然、鏡《かがみ》に映る貴明の目が、驚愕《きょうがく》するように見開かれた。文伽はそれを認めると、貴明の背後で歩を止め、静かに言葉を紡《つむ》ぐ。

「私の姿、映らないでしょう? でもそれは当然のことよ。だって……私はもう死んでいるから」

マジックアイテムであるマヤマには、心臓《しんぞう》なんていう器官はついていない。しかし、あるはずもないその心臓が、この時ツキンと痛んだように思えた。

いつも冷静で淡々としている文伽だが、そんな彼女も「自分が死んでいる」という事実を口にする瞬間は、どこか悲しげな色を瞳《ひとみ》に浮かべる。それが後悔からきているのか、それとも生物としての本能からきているのか、マヤマにはよくわからない。マヤマがわかるのは、悲しげな表情をする文伽を見ていると、何だか自分まで悲しくなるということぐらいだ。

もう少し上手《うま》く立ち回っていれば、文伽がこうして自身の死を口にする必要なんてなかったのに。文伽が気持ちよく仕事ができるようにサポートするのも、相棒であるマヤマの仕事なのに。

……ああ、僕はいったい何やってるんだろう。これじゃ相棒失格だ。

悪い癖《くせ》だとは知りつつも、マヤマはその場でウジウジと思い悩む。

貴明は肩越しに文伽の方を振り返ったが、すぐさま正面へと向き直った。彼はその少し神経質そうな外見通り潔癖性《けっぺきしょう》なところがあるのか、消毒液か何かを手に吹きつけて最後の身支度《みじたく》を整《ととの》えながら、ポツリと呟《つぶや》く。

「……大した手品だな。素質があるよ」

その科白《せりふ》にマヤマはムッとなった。文伽が自《みずか》らの死を口にしてまでシゴフミの存在を信じさせようとしているのに、頭が固いにも程がある。

――よし、いいだろう。

そっちがその気ならとことんまでやってやる。切り開いた時空の穴に貴明自身を放り込んで、その口から「信じる」の一言が出るまで発狂寸前の暗黒空間を彷徨《さまよ》わせてや――

その意気込みを制するように、文伽《フミカ》がマヤマを握っている右腕をすっと引いた。そしてその代わりに、もう出かけようと鏡台《きょうだい》から文伽たちの方へと向き直った貴明《たかあき》に対し、左手にある典《のり》子《こ》からのシゴフミを静かに差し出す。

文伽は抑揚のない、しかしどこか有無を言わせぬ雰囲気の声で、告げた。

「……騙《だま》されているだけだとわかっていても、手品を見るのは楽しいでしょう？　この中に書かれている典子さんの想《おも》いは、たった一言よ。読むのに手間が掛かるものでもないし、受け取ってくれない？」

「…………」

貴明は動きを止め、どうすべきかしばらく思案している様子《ようす》だったが、やがてそっと手紙を受け取った。そして職業柄《しょくぎょうがら》か、まるでタネを探そうとするように、手紙を裏返したり蛍光灯に透かしたりしている。

マヤマは文伽にだけ聞こえるように、小さな声で囁《ささや》いた。

『一時はどうなることかと思ったけど、何とか手渡せたね？』

文伽は相変わらず表情に乏しいが、典子の手紙を無事に届けられたことに安堵《あんど》の気持ちはあるのだろう。密《ひそ》かな吐息を洩《も》らした後、マヤマをちらりと見やると、目許《めもと》を僅《わず》かに緩《ゆる》める。

しかし、次の瞬間《しゅんかん》――。

「……くだらないな」

貴明《たかあき》が、断然とそう言い放った。マヤマを握る文伽《フミカ》の手が、動揺を伝えるようにピクリと動く。マヤマ自身も貴明の言葉が信じられず、『えっ？』と声を洩《も》らした。

貴明は手紙をヒラヒラと弄《もてあそ》びながら、おざなりに言う。

「くだらないよ、まったく。『騙《だま》されているだけだとわかっていても、手品を見るのは楽しい』だって？　冗談《じょうだん》じゃない。それは見せられる手品にもよる。死者からの手紙なんてもの、故人を冒瀆《ぼうとく》しているだけだ。どんな素晴《すば》らしいタネが仕込まれていようが、見せられた方は不愉快になるだけだよ」

貴明はシゴフミを文伽へと突き返した。文伽が反射的にそれを受け取ると、貴明は何も言わず、そのままドアに向かって歩き出す。

『ち、ちょっと待って!!』

マヤマは咄嗟《とっさ》に声をかけた。無視されるかと思ったが、貴明はその場で足を止めて振り返り、

「まだ何か用か？」と訊《たず》ねてくる。

マヤマはうっと声を失った。呼び止めはしたものの、これほど頑《かたく》なな貴明を説得する術《すべ》なんてすぐには思い付きはしない。

マヤマがそのまま黙《もく》していると、文伽が口を開いた。

「……典子《のりこ》さんの想《おも》いは必ず届けると、私は彼女に約束したわ。手紙を渡せなかった上に、ただの悪戯《いたずら》だと思われたまま帰るわけにはいかない。でも、あなたもこのシゴフミの存在を信じ

るつもりはないんでしょう？　だから、ここで一つ提案があるんだけど――典子さんに対するあなたの想いを、この私に届けさせてもらえないかしら？」

貴明が眉宇《びう》をひそめる。文伽はそんな彼を見つめたまま、言葉を続けた。

「私の仕事は死者からの手紙を届けることだけれど、その逆で、死者へと手紙を届けることもあるの。書くのが面倒《めんどう》だというのなら、手紙でなくともいいわ。彼女への想いを体現するようなもの、私に届けさせてくれないかしら？」

突然のその申し出に、貴明は押《お》し黙《だま》ってしまった。マヤマも文伽の言葉に虚を突かれたが、しかし反面、文伽らしいなとも思う。

将棋を指している時と同じだ。文伽は不意に定石《じょうせき》にないような一手を指してきて、対局者であるマヤマの動揺を誘ってくる。その意図がわかっていたとしても、いつの間にか文伽のペースに引きずり込まれ、最終的には彼女の掌《てのひら》で踊らされている、ということは多々あるのだ。貴明の堅固な堤を壊《こわ》すため、ここでヒビの一つでも入れておくのは効果的かもしれない。

貴明はしばらく黙考《もっこう》していたが、文伽の強い意思を感じ取ったのか、ふぅと嘆息した。

「……言う通りにすれば、君は満足して帰ってくれるのかな？」

「ええ」

その返答に、貴明は根負けしたとばかりに大仰に肩を竦《すく》める。彼は上着のポケットを探ると、そこから一枚のチケットを取り出し、文伽に手渡した。

「明日《あした》ここでやるマジックショーのチケットだ。最前列の特等席だよ。典子《のりこ》の容体《ようだい》がよくなれば招待しようと思って、前もって取っておいたものだが……もう必要のないものだ。君に進呈するよ」

文伽《フミカ》は受け取ったチケットにシゴフミ用の切手を貼《は》りつけると、貴明《たかあき》をひたと見つめて告げる。

「……このチケットが無駄《むだ》になることはないわ。あなたの想《おも》いと共に、私が必ず届けるもの」

貴明は口の端を上げ、「そうだといいな」と、おざなりに返答した。

その時、控え室のドアが開き、先程の男性スタッフが顔を覗《のぞ》かせる。

「相馬《そうま》さん。車、もう来てますよ？」

「ん？　ああ、すぐ行く」

貴明は文伽に対して何か言おうとしたようだったが、結局は口を噤《つぐ》んだまま、ドアの方へと向かった。そして一度も振り返ることなく、この場を後にする。

控え室に取り残された形となったマヤマは、文伽へと話しかける。

『——ねえ文伽。次の一手はどうするの？』

「次の一手って？」

『へ？　いやだからさ、そのチケットを受け取ったのって、勝算というか、次の一手のための布石だったりするんでしょ？』

期待を込めたこの問いかけに対し、文伽はあっさりと仰《おつしや》った。

「ないわよ、そんなもの」

マヤマは呆気《あつけ》にとられて二の句が継げなくなる。そのまま一秒、二秒、三秒と時が過ぎるが、やがてはたと我《われ》に返り、勢い込んで言った。

『えっ、何それ⁉　ほら将棋の時みたいにさ、遠謀深慮《えんぼうしんりよ》の揺さぶりの一手とかじゃないの⁉』

「将棋の揺さぶりの一手っていうのもピンと来ないんだけど？」

『ピンと来ないって……もしかして直感で指してたの⁉　直感で指してるのに何であんなに反則的に強いの⁉』

ギャーギャー耳元で騒《さわ》がれて煩《わずら》わしかったらしい。文伽は顔をしかめ、憮然《ぶぜん》となって言う。

「うるさいわね。大丈夫よ。どう転んだって、二歩《にふ》で反則負けするようなヘマだけはしないわ」

……………ぎゃふん。

❧　❧　❧

『――とまあそういうわけで、ゴメンナサイ。典子さんから預かってた手紙、まだ手渡せずにいるんだ』

どうやらこの場所が気に入ったらしい。病院の中庭にあるイチョウの木の下で、典子は芝生《しばふ》の上にちょこんと座ったまま、マヤマからの報告に耳を傾けている。

マヤマに報告を押しつけた文伽《フミカ》はというと、イチョウの木に身体《からだ》を預けたまま、瞳《ひとみ》を閉じて佇《たたず》んでいる。立ったまま器用に寝てるんじゃないか？　とそう思える文伽の様子《ようす》に、マヤマは不満たらたらだ。

……まったく。こういうことばかり僕に押しつけて。

しかしそんな文句を言ったところで、文伽は意に介さないだろう。しょうがなくマヤマが折れているわけだが、少し甘すぎるのかなぁ、などとマヤマは思いつつ、典子《のりこ》の様子《ようす》に気を配る。

意に染まぬ報告となっているだろうに、典子は何だか嬉《うれ》しそうだ。その原因は、彼女の手に握られている一枚のチケットだろう。典子のために貴明《たかあき》が用意してくれていたものだと話したところ、彼女はそのチケットを手にしたまま、終始ご満悦状態である。

マヤマは内心で溜息《ためいき》をつきながら、続ける。

『……とにかく、これからは長期戦になると思うけど、安心して。典子さんの想《おも》いはきちんと届けるからね？』

典子はその言葉にきょとんとした表情を見せた後、ふるふるとかぶりを振った。そして、笑顔《えがお》でこんなことを言い出す。

「ショーは大成功だったんですよねー？　だったら、貴明さんはこれまで通り頑張れているということでしょう？　わたしの想いはもう伝わっているも同然ですよぉ」

その科白《せりふ》に面食らい、マヤマは頓狂《とんきょう》な声で訊《たず》ねた。

『えっ……それじゃあ、シゴフミはもう届けなくてもいいって言うの?』

典子は間髪いれず、「ええ」と応《こた》える。

文伽がすっと目を開き、会話に割って入った。

「……あなたはそれでいいの? たった一言だというのに、想いを伝えられぬままで、本当に満足してあの世に旅立てる?」

それはいつも通りの平坦な声だったが、文伽が本気で気遣っているということを何となくで察したのだろう。典子はとても穏《おだ》やかな表情になると立ち上がり、もはやそうするのが当然とばかりに、文伽を両腕で抱《だ》き締める。

「ん〜、文伽ちゃんはやっぱりイイ子ね—? でもね、わたしは本当に大丈夫よ。貴明さんは他人に弱いところを見せまいとするから、とても強い人に思われがちだけど……ここだけの話、本当はすっごく泣き虫なの—。だから心配して手紙を届けてもらおうと思ったんだけど、様子を聞いて安心したわ。もう平気よ?」

抱き締められるのもこれで三度目だ。最初はあんなにタジろいでいた文伽だが、どうやら免疫が出来たらしい。文伽はもう諦《あきら》めたといった感じで、帽子越しに頭をなでなでされても、されるがままとなっている。

……うーん。どっちがお姉さんなのかわからないような状態だなぁ。

マヤマがそんなことを考えながら二人の様子《ようす》を眺めていると、文伽《フミカ》が少しばかりの憂《うれ》いを滲《にじ》ませ、抱きついている典子《のりこ》に確認《かくにん》するように問いかけた。

「……本当に、いいのね？」

文伽の口から零《こぼ》れ落ちたその科白《せりふ》に、マヤマは『えっ』と声を洩《も》らす。

まあ確《たし》かに、シゴフミの依頼主がもういいと言うなら、このまま仕事を完了しても問題はないだろう。マヤマとしても、長期戦になってその後のスケジュールにしわ寄せがいくのを避けられるのなら、文句なんてあろうはずもない。

けれど。

い、あの文伽が。

スケジュール無視も何のその、積極的《せっきょくてき》に余計なことに首を突っ込んで、いつもマヤマに頭の痛い思いをさせるあの文伽が。

あっさりと身を引こうとしていることに、マヤマは少なからず動揺する。

そんなマヤマをよそに、文伽はさらに問いかけ、典子もそれに応《こた》えていく。

「手紙を渡す機会《きかい》なら、これからまだあるのよ？」

「ううん。もう充分よ」

「後悔しない？」

「ええ、もちろん」

「一言だけ、言っていいかしら？」

「なぁに？」

文伽は小さく息を洩らすと、静かに告げる。

「……あなた、大バカよ」

典子はハッとなったようだが、文伽の肩口に顔を埋めるように抱きついたまま、ポツリと呟《つぶや》く。

「……ええ。そうかもしれないわね」

やがて、典子の口からすすり泣くような声が聞こえてきた。典子に半ば縋《すが》りつかれている文伽はしかし、慰《なぐさ》めるでも労《いたわ》るでもなく、静かな眼差《まなざ》しで彼方《かなた》を見つめたまま、彼女が泣くに任せている。

マヤマは何も言えぬまま、ただその光景を眺めていた。内心で呟くのは、いつものあの科白。

——人間って、よくわからないな。

典子のすすり泣きは、いつ果てるともなく続いて。

その声を聞くうちに湧《わ》き上がってくる哀感に、マヤマは独り困惑していた。

❦ ❦ ❦

——翌日。

マジックショーが開かれている文化会館《かいかん》の大ホールは、見渡す限りの観客《かんきゃく》で埋め尽くされていた。間断なく披露《ひろう》されるマジックの数々に、人々の驚嘆《きょうたん》が多重奏のように渦を巻く。しかし、そういった浮ついた雰囲気から取り残されるようにして、観客席の最前列に、一つだけぽっかりと空いている席があった。どこか寂しげな気配《けはい》を湛《たた》えるその空席は、ステージ上からでも充分に目立つものであるだろうに、貴明《たかあき》はそちらをチラリとも見ようとしない。

典子《のりこ》の姿は、その空席にあった。

典子は貴明が彼女のために予約していたその席から、ステージ上で繰《く》り広げられていくマジックの数々を、まるで子供のように瞳《ひとみ》を輝《かがや》かせて眺めている。

文伽《フミカ》たちはホール側面の壁《かべ》に寄りかかるようにして、マジックショーというよりも、典子の横顔をじっと見つめていた。また文伽のわがままが発揮されて、こうして典子と同伴することとなっているのだが、今回はマヤマも文句を言わなかった。スケジュールに余裕があったというこことがその大きな理由の一つだが、しかしそれと共に、本当にこれでいいのかな？　という思いがマヤマに否と言わせなかった。

確《たし》かに、恋人の死に自分を見失うでもなく、これまで通りの生活を続けている貴明には、典子の〝想《おも》い〟は届いているも同然のようにも見える。それに、貴明からのシゴフミであるチケットもこうして用をなし、仕事としては一件落着。全《すべ》てが丸く収まったと言えなくもない。言えなくもないのだが……。

やっぱり、どこか釈然としない。

典子が流した涙の意味は、マヤマにはよくわからない。だけど、あのすすり泣きの声をすぐ傍《そば》で聞いたマヤマとしては、このままではいけないように思う。何とかしてあげたいと思う。

――もしかしたら。

もしかしたら、マヤマがいま抱いているようなこの気持ちというか、感覚というか、そういったモヤモヤとしたものが、文伽をスケジュール外の行動に走らせる原動力なのではないだろうか。

だとしたら、この胸の奥から湧《わ》き起こってくる衝動《しょうどう》を突き詰めていけば、人間というものがもう少しわかるのかもしれない。濃《こ》い霧《きり》に包まれていた人間という存在が、もっと身近なものになるのかもしれない。

マヤマがそんな仮説を頭の中で組み立てている時、ステージ上にあの新しいアシスタントの女性が姿を現した。それまでは貴明が一人でマジックを披露していたのだが、どうやらここから助手を必要とする大掛かりなイリュージョンが展開されていくようだ。

その頃《ころ》から、ステージを眺める典子《のりこ》の瞳《ひとみ》に、僅《わず》かな寂寥感《せきりようかん》がかすめるようになってきた。彼女はマジックが成功する度《たび》に他《ほか》の観客《かんきやく》と一緒《いつしよ》になって拍手を送るのだが、自分なしでも問題なく進んで行くショーを目にして一抹《いちまつ》の寂しさを感じているのか、最初の頃の無邪気な笑《え》みは鳴りをひそめている。

その様子《ようす》を目の当《ま》たりにしたマヤマの中で、モヤモヤとした気持ちがさらに膨《ふく》らんできた。このモヤモヤは人が感じているものと同じなんだろうか？　もしもそうだとするならば、どうすればこのモヤモヤは解消されるんだろうか？

そんなことを真剣に考えていたマヤマの脳裏に、ふと、天啓のような閃《ひらめ》きがやってきた。それは文伽《フミカ》と将棋を指している時に思いついたあの二歩《にふ》と同様、単純だが、とても輝《かがや》かしい一手に思えた。

——こんな簡単《かんたん》な結論《けつろん》、どうしてすぐさま導《みちび》き出せなかったんだろう？

典子は充分に苦しんだ。マヤマはその姿を見てきた。それなのに、彼女不在のショーが何の問題もなく進んで行くなんて、そんなことあっちゃいけないんだ。

反則技の二歩だろうが、この際どうでもいいじゃないか、とマヤマは思う。

典子が苦しむ姿を目にして、モヤモヤとした感情を抱くというのなら——その元凶となっている、マジックショーそのものをぶち壊《こわ》してしまえばいいんだ。ただそれだけのことだ。

答えさえ出てしまえばこっちのものだし、導き出した答えを現実のものにする力だってマヤマは持っている。マヤマは決意を固めると、ステージ上に意識《いしき》を集中させた。

——方向よし。角度よし。力の微調整《びちょうせい》も、よし！

そしてマヤマは、弱めに設定した不可視の力を、アシスタントの女性の足元めがけ放った。

その刹那《せつな》、それまで流れるような足運びを見せていたアシスタントの女性が、「きゃっ！」と小さな悲鳴を上げてステージ上に倒れ込む。

「——っ！」

その明らかな失敗を目にして、貴明《たかあき》は僅《わず》かに眉根《まゆね》を寄せた。観客たちはざわつき、心配そうな様子でステージを見つめる。

マヤマは胸中で快哉《かいさい》を叫んだ。

——やった、大成功！

やっぱり典子がいないとダメだ。そう、貴明もスタッフも、そして典子自身も思えばいいんだ。そうすれば、貴明も典子のことをおざなりにしたことを反省するし、彼女自身にもあの無邪気な笑みが戻ってくる。そうに決まってる。

自分のした行為に満足感を覚え、マヤマが得意になっていると、

「——マヤマっ!!」

文伽が滅多《めった》に出さない大声を上げ、譴責《けんせき》を込めてマヤマの名を呼んだ。マヤマはびっくりして、隣《となり》にいる文伽の様子を恐る恐る窺《うかが》う。

先の事態はマヤマの仕業だと、既に看破しているのだろう。文伽《フミカ》は冷たい眼差《まなざ》しでマヤマを見据え、押し殺したような声で訊《たず》ねる。

「……マヤマ。あなた、いったい何をしているの？」

それは淡々とした口振りだったが、普段《ふだん》のトーンとは明らかに違った。鋭利《えいり》な刃物を突きつけられているようなその声音《こわね》に、マヤマは一瞬《いちしゅん》言葉を失うが、やがて気圧《けお》されまいと必死で声を張り上げる。

『何をしてるって……見ればわかるだろ！　ショーの邪魔《じゃま》をしてるんだよ!!』

「なぜ、そんなことをするの？」

『なぜって……だって、だってこのままじゃ、典子《のりこ》さんがあまりにも——』


……可哀想《かわいそう》だ。


不意に零《こぼ》れ落ちたその言葉に、マヤマ自身が目の覚めるような思いでハッとなる。

ああ、そうか。

そうだったんだ。

モヤモヤとしていたあの気持ちの正体は、典子を可哀想だと思う、そんな人間らしい感情が生み出したものだったんだ。

マヤマはマジックアイテムである。仕事を円滑にこなすために生み出された。だから人間的な感情というものは未発達であり、むしろそういったものは押さえつけ、押し殺すのがプロフェッショナルだという規範《きはん》の許《もと》に行動してきた。

でも、とマヤマは思うのだ。

人の想《おも》いを届ける仕事に従事していながら、人間らしい感情を排してしまうのは——本当に、正しいやり方なのだろうか？

マヤマはそういった葛藤《かっとう》を胸の内に秘めつつ、感情のままに叫んだ。

『だって、このままじゃ典子さんが可哀想じゃないか！　文伽だって、典子さんが寂しそうにしてるの、気付いてるだろ!?　それなのに見て見ぬフリするなんてあんまりだ！　いつもは頼まれもしないのに首突っ込むくせに、どうして今回は黙《だま》ってるんだよ!!』

その言葉に驚《おどろ》いたように、文伽は微《かす》かに眉《まゆ》を上げた。しかしそれも数瞬の間だけだ。文伽はすっと瞳《ひとみ》を細め、冷淡に告げる。

「……マヤマがどんな考えで行動したのかはよくわかったわ。でも、いまステージ上にいるあの女性も、何の努力もなしであそこに立っているわけじゃない。自分にできることがあるといっても、その行動すべてがいい結果をもたらすわけじゃないわ。あの女性の努力を典子さんのために無にして、マヤマは満足するの？」

うっと口を噤《つぐ》んだマヤマに対し、文伽は切りつけるように言い放つ。

「想《おも》いがあれば何をしてもいいわけじゃない。相手にとって押し売りになってしまうこともある。そのことを理解せずに自分勝手に行動するなんて、おこがましいにも程があるわ。マヤマ――あなた、神様にでもなったつもり？」

『そ、そんな……僕はただ、人間について知りたかっただけで……』

そういった弁解の言葉はしかし、尻《しり》すぼみになって消えていく。観客席《かんきゃくせき》からの拍手アシスタントの女性は貴明《たかあき》の手を借りて何とか立ち上がると、観客席《かんきゃくせき》からの拍手にはにかにはにかんだように応《こた》えた。彼女は貴明と二言三言交わすと、足を少し引きずりながらもショーを再開する。

文伽《フミカ》とマヤマの間には、そのまましばらく重苦しい沈黙《ちんもく》が続いた。マジックが成功する度《たび》に観客から湧《わ》き起こる拍手や歓声が、どこか非現実的な響《ひび》きとなって周囲にこだましている。

昨日《きのう》ここで目にした消失マジックのように、この場からパッと消えてしまいたい。そんなことを、マヤマは居たたまれない気持ちのまま思う。

マヤマたちの姿や声は、観客にもスタッフにも、そして今は貴明にも認識《にんしき》できないようにしている。しかしこの場で唯一、文伽たちのことを認識できる典子《のりこ》が、不意に席から立ち上がった。そして、文伽たちの方へと歩み寄ってくる。

どうやら先程の大声のやりとりが聞こえていたらしい。典子はすぐ傍《そば》までやって来て立ち止まり、柔らかい笑顔《えがお》でまず文伽へと話しかける。

「文伽ちゃん、もうマヤマくんを責めないであげてね？　マヤマくんが充分に反省しているってこと、文伽ちゃんもわかっているでしょう？」

「…………」

文伽はしばらく無言だったが、やがてマヤマに向けていた冷たい眼差《まなざ》しをすっと外した。それを見た典子はニッコリと笑うと、今度はマヤマに声をかける。

「わたしのこと、心配してくれてありがとう。マヤマくんも文伽ちゃんも、本当にとってもいい子ねー？」

そして、典子はマヤマをよしよしと優《やさ》しく撫《な》でる。その手つきには愛情が溢《あふ》れていて、マヤマというマジックアイテムに接しているというより、人間に触れているような暖かさがある。

その手の温《ぬく》もりに後押しされるように、マヤマは思わず、勢い込んで訊《たず》ねた。

『典子さんは本当にこれでいいの!?　これで満足なの!?　やっぱりさ、貴明さんにあの一言を伝えてからあの世に旅立とうよ！　僕もできる限り手伝うからさ!!』

だって。

だってこのままじゃ――

「……わたしが、あまりにも可哀想《かわいそう》？」

マヤマの言葉を引き取るようにして、典子がそう言った。マヤマが無言をもって肯定の意思を示すと、典子はゆるりとかぶりを振る。そして、歳《とし》の離《はな》れた弟に物事を教え諭《さと》すように、優しく言葉を紡《つむ》いだ。

「マヤマくん。わたしの幸せはわたしが決めるわ。――わたしは幸せでした。わたしが現世に思い残すことは、貴明《たかあき》さんがこれまで通りに頑張っていけるかということだったけれど、その心配ももうなくなりました。だからわたしは、今でも胸を張ってこう言えます」


――わたしは、幸せでした。


典子《のりこ》は人差し指でマヤマをちょんと突つくと、「だからね？」と、続ける。

「わたしを勝手に、『可哀想《かわいそう》な女』なんかにしないでね、マヤマくん？」

その時、盛大な拍手がホールに響《ひび》いた。ステージ上を見やれば、貴明が昨日《きのう》の消失マジックを披露《ひろう》しているところだ。先の拍手は、アシスタントの女性が棺《ひつぎ》から消えた場面で湧《わ》き起こったらしい。

典子は遠くを見つめるような眼差《まなざ》しでステージを眺める。

「あのマジック、上手《うま》くできなくて貴明さんによく怒られたのよね……」

しみじみとそう呟《つぶや》いた典子は、文伽《フミカ》たちに向き直ると、穏《おだ》やかな微笑を湛《たた》えた。そして彼女は、文伽とマヤマを抱き寄せるようにして、両腕で包み込む。

典子は、囁《ささや》くように言った。

「文伽《フミカ》ちゃん。マヤマくん。これまで本当にありがとう。短い間だったけど、妹と弟がいっぺんにできたみたいで、すごく嬉《うれ》しかったわ」

典子《のりこ》は文伽の頬《ほお》とマヤマの文字盤《もじばん》に、触れるような優《やさ》しいキスをする。やがて文伽たちから腕を離《はな》した典子は、にっこりと笑った後、踵《きびす》を返した。そしてステージへと続く階段を上り、貴明《たかあき》のいる方へと歩を進めていく。

ステージ上からは昨日《きのう》と同様に蓋《ふた》と棺《ひつぎ》が運び出され、後には貴明の指差す先にある、床に落ちた黒い布だけが残った。典子はその布の後ろに立ち、貴明に優しい微笑を送る。

貴明は黒い布を手に取って広げると、そのまま頭の高さまで持ち上げようとして——ふと、その手を止めた。

見えているはずはないだろうに。

一刹那《いっせつな》の間、貴明と典子の視線《しせん》が、確《たし》かに重なったようにマヤマには思えた。しかしショーを停滞させるわけにはいかないというプロ意識《いしき》か、貴明はその不思議《ふしぎ》な感覚を振り払うようにして、すぐさま黒い布を最後まで持ち上げる。典子の姿が布の裏側に隠れる。

次の瞬間《しゅんかん》、貴明は手にしているその布をバッと翻《ひるがえ》した。すると布の裏側からアシスタントの女性が笑顔《えがお》で姿を現す。

そして——

いた。

……典子の姿は、まるで本物の魔法《マジック》にかかったように、ステージ上からきれいに消え去って

客席からひときわ盛大な、割れんばかりの拍手と歓声が巻き起こった。貴明はどこか釈然としないような面持ちながらも、アシスタントの女性と共に客席に向かい大きく一礼。それに合わせ、幕がゆっくりと下りてくる。

あの世へと旅立った典子への手向《たむ》けとばかりに、隣《となり》で静かな拍手を送っている文伽に向かい、マヤマは声をかけた。

『ねえ、文伽』

「なに?」

『……さっきは、勝手なことしてゴメン』

文伽は拍手を送っていた手を止め、横目でマヤマを見やる。

マヤマはしどろもどろになりつつも続けた。

『えと……僕はさ、人間のこと、もっとよく知りたかったんだ。だからそのために、文伽の真《ま》似事《ねごと》をしてさ、自分から色々と人に係《かか》わってみようと思ったんだよ。だけど、その——失敗、しちゃった』

僕はただ、典子さんのあの無邪気な笑顔を、もう一度見たかっただけなんだ。

だけど、そんな僕の想《おも》いは——間違って、いたのかなぁ？

文伽《フミカ》は時に薄情《はくじょう》に映るほどハッキリと物事を言う。もしかしたらまた責められるかもしれないと思いながらも、マヤマはその問いを発せずにはいられなかった。もしもあの時の想いが間違っているというのなら、もう、人間を知りたいなんて思えなくなると、そんなことを考えていたから。

文伽は小さく吐息すると、

「……バカね」

と、一言だけ洩《も》らした。

何だよそれちゃんと答えてよ！　そう食って掛かろうとしたマヤマだが、文伽の浮かべている表情にはたと気付き、声を発せなくなる。

——文伽は、優《やさ》しく微《わら》笑っていた。

それは文伽がごく稀《まれ》に見せる、女性らしい柔らかな微笑《ほほえ》みだ。彼女の素直な部分がふっと表面に浮かび上がってきているような、本当に暖かい微笑。

答えは、それだけで充分だった。

文伽の微笑に、マヤマは何だか救われたような気持ちになる。

……いつもこんな風に微笑ってればいいのに。

マヤマがそんなことを考えた次の瞬《しゅん》間《かん》には、文伽はいつものように表情を引《ひ》き締《し》め、ケピを被《かぶ》り直している。そして、今回の仕事の終わりを宣言するように、手渡せなかった典子《のりこ》の手紙を鞄《かばん》から取り出すと、封筒ごとシゴフミの切手をびりっと破った。その刹那《せつな》、シゴフミはまるで無数の蛍が舞《ま》い散るように、淡い光を千々《ちぢ》に放ち、さあっと世界に溶けて消える。

「――マヤマ、そろそろ行くわよ」

文伽はそう凜《りん》と言い切って、マヤマを手にすると颯爽《さっそう》と歩き出した。

先の表情はいったいどこに引っ込んでしまったのだろう？　その切り替えの早さに呆気《あっけ》にとられてしまうマヤマは、やはりどうしたって、いつもの口癖《くちぐせ》を呟《つぶや》かずにはいられない。

ああ。

まったく。

本当に――

『……人間って、よくわからないな』

――――『父さんの眼差し』

――体勢を立て直すためにとった間合いは、相手の一跳躍《いちちょうやく》で雲散霧消《うんさんむしょう》した。

白い影《かげ》が飴細工《あめざいく》のようにぐにゃりとした残像を引いて伸び、気付けば切っ先が届く範囲《はんい》に踏み込まれている。刹那《せつな》の思考で突き《トウシュ》が繰《く》り出されてくる箇所を予測、しかし襲《おそ》いくる剣先は閃《ひらめ》きよりもなお速い。

それでも、亜里沙《アリサ》は驚《おどろ》くべき反応速度で剣を跳ね上げ、その必殺の一撃《いちげき》を辛くも防いだ。切り返しの刃《やいば》で反撃しようとしたが、相手は既に飛《と》び退《すさ》り、亜里沙を待ち構えるように見据えている。

顔を前方に向けたまま、上体は左半身。膝《ひざ》は柔軟性をもたせるために曲げられ、剣は外側のラインがカバーできるような構え《アン・ガルド》。

それはフェンシングの基本姿勢であり見慣《みな》れた形であるはずなのだが、一分《いちぶ》の隙《すき》もないその構えは、見惚《みと》れる程にゾクリとする。

一呼吸の後、亜里沙は踏み込んだ。

下段のフェイントを交えて切り結び、得意とする連続技で畳みかけるつもりだった。スピードなら誰《だれ》にも負けはしない。

即斬《そくざん》できる鋭《するど》さで、反射よりも速く。

めくるめく乱刃で、思考さえも焼き切る。

そのはずだった。

画餅《がべい》に帰す、という言葉が過《よ》ぎる間もなかった。

呼吸も。

踏み込みも。

狙《ねら》いも。

全《すべ》てが相手に読まれていた。

下段に突き出したフェイントの一撃が、笑止とばかりに受け払《パラード》いされる。慌てて剣を戻そうとするが、既に遅いことを亜里沙自身が痛恨の思いで悟る。

相手の切っ先が飛燕《ひえん》の如《ごと》く翻《ひるがえ》り、亜里沙の心臓《しんぞう》の位置をこれ以上ないほどの正確《せいかく》さで突いた。

柔軟性のある剣は突き出された力に比例して大きく反り、先端が加工されていなければ必ず身体《からだ》を貫いているのにと、不満げに自己主張しているようだった。

「あっ……」

亜里沙は、そう声を零《こぼ》すことしかできなかった。完全なる敗北だ。

剣を引かれても、亜里沙はしばらく身動き一つできなかった。悔しさと疲労とで呼吸が乱れ、なかなか静まってくれない。鼓動の度《たび》に何だか頭痛がして苛立《いらだ》ちが募った。

フェンシング部の部長であり、先の練習相手となっていた浜口湊《はまぐちみなと》が、マスクを脱いで静かに一つ息を吐く。後輩《こうはい》である森由紀子《もりゆきこ》がすぐさま湊に駆け寄り、洗濯《せんたく》したばかりといった感じのきれいなスポーツタオルを差し出した。湊は落ち着いた笑顔《えがお》で礼を言い、そのスポーツタオルで額《ひたい》の汗を拭《ぬぐ》っていく。

――相変わらずモテるわね。

そう皮肉を言ってやろうと思ったが、亜里沙《アリサ》の肺は皮肉に使う呼気よりも酸素を欲した。亜里沙は仕方なく、無言でマスクを脱ぎ捨てる。

汗で頬《ほお》にべったりと貼《は》り付いた栗色《くりいろ》の髪が、いつも以上に鬱陶《うっとう》しく思えた。湊のように短くしようと思ったことは幾度となくあったが、何だか彼女の真似《まね》をするようで気に食わなくて、結局ハサミは入れていない。今は不快指数を上げるだけの少しクセのあるその髪を、亜里沙は片手で乱暴《らんぼう》に払う。その行為で露《あらわ》になった顔立ちは、欧州系の美しさを有する、鼻筋の通った繊細《せんさい》なものだ。

「亜里沙、汗拭《ふ》いたら？　そのままじゃ気持ち悪いでしょ？」

特徴のあるハスキーな声で、湊がそう話しかけてきた。

まさにこれからそうしようとしていたところだったのだが、先んじて言われると何だか反発心が芽生《めば》えてしまう。亜里沙は「いいわよこのままで」と、本心とは真逆なことを憮然《ぶぜん》とした声で告げた。

会話はそれで終わりのつもりだったのだが、湊《みなと》はまだ言いたいことがあるらしい。彼女は珍しく、少し躊躇《ちゆうちよ》するような様子《ようす》を見せた後、おもむろに口を開いた。

「ねぇ亜里沙《アリサ》。さっきの試合、全然らしくなかったよ。どこが具合悪いの？」

「……別に。いつも通りよ」

「いつも通りって――」

そんなわけないでしょう、とでも言いたげな眼差《まなざ》しを見せた後、湊は気遣うように言葉を続ける。

「やっぱり部活、しばらく休んだら？　コーチのこともあるし、今は辛《つら》いでしょう？」

その一言に敏感に反応した亜里沙は、半ば睨《にら》みつけるようにして湊を見据え、低い声音《こわね》で告げた。

「……父さんのことは関係ないでしょ。私は平気よ。問題ないわ」

湊は気圧《けお》されるというより、困惑した様子で見返してくる。他《ほか》の部員たちは二人のやりとりを遠巻きに眺めているが、彼女たちがどちらの意見に賛成《さんせい》しているかは一目瞭然《いちもくりようぜん》だった。

亜里沙は湊からつと視線《しせん》を外すと、踵《きびす》を返して歩き出す。湊が少し慌てたふうに声を上げた。

「ちょっと亜里沙、どこ行くの!?」

「今日《きよう》はこれで終わりなんでしょ？　シャワー浴びて家に帰るのよ」

しかし、湊はそう簡単《かんたん》に帰してはくれなかった。すぐさま追いかけてきて、亜里沙の肩を摑《つか》む。

「まだ私の話は終わってないよ。私はね、亜里沙のことが心配なんだよ。身体《からだ》を動かしてれば余計なこと考えなくて済むかもって思ったから、一時は部活に出ることにも賛成したけど……やっぱり、しばらくは休んだ方がいい。フェンシングしてると、コーチのこと思い出しちゃって辛いんでしょう？　今みたいに集中力を欠いたままだと、大きな怪我《けが》に繋《つな》がるかもしれない。お願《ねが》いだよ亜里沙。少しは自分の身体のことも労《いたわ》って」

その言葉は湊の偽らざる気持ちそのものだろうと思えた。彼女は着飾った科白《せりふ》を吐けるほど器用な人間ではないから。

でも、今のは逆効果だ。

彼女にだけは、同情も憐《あわ》れみもかけられるわけにはいかない。

彼女にだけは、これ以上の敗北感を味わわされるわけにはいかない。

亜里沙は湊の手を払いのけると、肩越しに振り返って彼女を一瞥《いちべつ》する。そして、反論《はんろん》を許さない、少しばかり卑怯《ひきょう》なその科白を吐き捨てた。

「——両親とも健在な湊に、どうして私の気持ちがわかるっていうの？　大丈夫って言ってるんだから、勝手に決め付けるようなこと言わないでよ」

湊の顔がサッと青ざめ、打ちのめされたように口を噤《つぐ》む。

狙《ねら》い通りにいったというのに、胸がすくような思いは一切なかった。逆に自分が何だかすごく惨《みじ》めな生き物に思えて、亜里沙《アリサ》は前に向き直ると、その場から逃げるように足早に歩き出す。背中に深く突き刺さる、湊《みなと》と部活仲間の視線《しせん》が痛かった。そしてその視線の中には、何だか父親のものも含まれているように感じられ、亜里沙は居たたまれなくなる。

（……そんな目で見ないでよ、父さん）

たとえば、と亜里沙は思う。

父親の眼差《まなざ》しというものは、慈愛に満ちた、静かで、力強く、どこまでも暖かいもののはずで。そういったものに見守られ、育《はぐく》まれていくのが、家族というものの正しいカタチ。

——けれど。

父さんから注がれる眼差しはいつも、亜里沙の求めるものとは大きく異なっていた。家族の理想形なんてものとは、全く食い違っていた。

父さんは、気付いてさえいなかったろうけれど。

亜里沙は父さんと目が合うたびに、声なき声を聞いて苦しんでいた。その眼差しに憎しみにも似た、強い反発すら抱いていた。

あんな眼差しを送ってくるくらいなら、ハッキリと言ってくれればよかったんだ。それとも、聞こえよがしに言わなかったのは、親としての最後の優《やさ》しさのつもりだったのだろうか？

あの世へと旅立った父さんは、いつもの眼差しで亜里沙を見つめ、もう本心を隠すことなくこう言っていることだろう。

——できそこないめ、と。

❀ ❀ ❀

亜里沙はフランス人の父と日本人の母を持つ、いわゆるハーフである。

生まれ故郷は日本ではなく、フランス東部の片田舎《かたいなか》。倹《つま》しいながらも円満な家庭に生まれ、そこで幸福な幼少時代を過ごす——とまあ、伝記でもあればそんなふうに書かれるであろう、ごく平凡な生活をかつては送っていた。

そう。

かつては、だ。

伝記に書かれるような人生は波乱万丈でなければならない。山も谷もなく、成功の階梯《かいてい》をただ上っていくだけの一生なんて、読者も出版社も許しはしない。

——亜里沙が八歳の時、母親が病死した。

その突然の不幸を、亜里沙は上手《うま》く消化することができなかった。そして何が何だかわからないうちに、亜里沙の母親役は祖母が受け継《つ》ぐ、という形で新しい生活がなし崩しにスタートすることとなった。

祖母は迷信深いところがあるものの、とても善良で優《やさ》しい人だった。物事の善悪を諭《さと》すようにして亜里沙《アリサ》に教え、「お父さんのことを支えてあげるのよ？」と、口癖《くちぐせ》のように言っていた。そして亜里沙もまた、それが自分の役目なのだと、漠然とした責任感をいつしか背負うようになっていた。

フェンシングを始めたのには、そういった経緯《いきさつ》が大きく関《かか》わっていると思う。

亜里沙の父親であるジル・ベルトンは、かつてフランス代表に選ばれたこともある、フェンシングの名手である。現役を退いた後は指導者《しどうしゃ》として、優秀《ゆうしゅう》な選手を幾人も育て上げている。そんな父親の姿をずっと見ていた亜里沙は、幼いながらにこう考えたのだ。

強くなろう。

フェンシングを習って、誰《だれ》よりも強くなって、そして――おばあちゃんが言うように、父さんの支えになるんだ。父さんを助けるんだ。

『健気《けなげ》』なんてぬるい一言で片付けてはもらいたくない。亜里沙は必死だったのだ。

だって、母さんが死んでから、父さんは笑わなくなった。もともと口数は少なかったけど、以前にも増して無口になった。

元通りになることは、もうないのかもしれないけれど。

何とかしなければ、という思いにいつも駆られていた。

――効果は抜群だった。

父さんは不器用ながらも笑顔《えがお》を浮かべ、亜里沙が初めてとってみせた、へっぴり腰な構え《アン・ガルド》を誉《ほ》めてくれた。おばあちゃんには自分の決意の程を話していたから、もしかしたらそのことをこっそり伝え聞いて、喜んでくれていたのかもしれない。

でも、そんな穏《おだ》やかな日々が続いたのも、亜里沙が十に満たない幼年期までのことだった。

フェンシング一筋に生きてきた者の宿命とでも言うべきか。父さんはいつしか父親としてではなく、指導者として亜里沙に接するようになっていった。以前のように手放しで誉めるようなことは一切なくなり、技術面でのアドバイスも血の通わぬ伝達事項と成り果てた。

それでも亜里沙は信じていた。いつかまた、あの優しげな眼差《まなざ》しが注がれる日はやってくる。いつかまた、あの暖かい笑《え》みが顔を覗《のぞ》かせる日はやってくる。

だから亜里沙はこう思う。こう願《ねが》う。

強くなろう。

父さんに誉めてもらえるように。

父さんを支えられるように。

誰よりも。

誰よりも。

誰よりも。

強くあろう。

そういった思いはしかし、亜里沙《アリサ》を焦らせるマイナス要因として重くのしかかってきた。フェンシングを習いだした当初は天才少女と褒《ほ》めそやされた亜里沙だったが、やがて同年代のライバルたちの台頭を許すようになった。「才能の頭打ち」と陰口を叩《たた》かれることもあれば、父親とは違って才能そのものがなかったんだと、明らかな侮蔑《ぶべつ》の言葉を投げられることさえあった。

その頃《ころ》からだと思う。父さんの眼差《まなざ》しに、憐《あわ》れむような、残念に思うような、そんな悲しい光が宿るようになったのは。

——そんな目で見ないで、父さん!!

そう、何度も叫び出しそうになった。何度も逃げ出しそうになった。それでも亜里沙はフェンシングを続けた。その原動力になっていた想《おも》いには、既に可愛《かわい》げも幼さもない。世に移り変わらぬものなどなく、当初の拙《つたな》い想いなど、微塵《みじん》も残りはしない。

怒りがあった。

憎しみがあった。

全《すべ》てに対して苛立《いらだ》っていた。

父さんの経歴など関係ない。自分の努力は自分のもので、その結果がどうであれ、誰《だれ》にも笑わせなどしない。品種改良された作物でもあるまいし、遺伝子なんかを持ち出して、自分の出来不出来を語ってもらいたくはない。

亜里沙は思う。

強くなろう。

誰よりも。

誰よりも。

誰よりも。

強くあろう。

陰口など吹き飛ばしてみせる。侮蔑は妬《ねた》みに変えてやろう。

そして、父さん。

あなたには、もう二度と、そんな眼差しを浮かばせなどしない。「ジルの娘」が亜里沙なのではなく、「亜里沙の親」がジルなのだ。

そう、強く思う。

……ここまでのくだりだけでも、自分は苦痛と苦労にまみれた生活を送ってきたなと、深い感慨を抱く。それでも伝記はさらなる不幸を欲し、新たなスパイスにするのだ。

ある日の朝のこと。いつも一番早くに起きて朝食を作ってくれるおばあちゃんが、その日に限って、亜里沙が目覚める時間になっても自室から出てこなかった。亜里沙は嫌《いや》な胸騒《むなさわ》ぎを覚え、おばあちゃんの部屋に駆け込んだ。そこで亜里沙が目にしたのは、ベッドで穏《おだ》やかな眠りにつく、この世で一番静かな死体だった。

……ああ、人って本当に死ぬんだな。

枕許《まくらもと》で呆然《ぼうぜん》と立ち尽くしたまま、亜里沙《アリサ》はそう悟った。


亜里沙はもうお守《も》りのいらない年齢《ねんれい》だったが、父さんはそうは思わなかったらしい。男手一つで娘を育てることに、かなりの不安を覚えているようだった。

父さんの姉——つまりは亜里沙の伯母《おば》夫婦の家に、亜里沙を預けようかという話も出たが、その案には猛反発した。伯母さんも伯父《おじ》さんもすごくいい人だし好きだったが、たらい回しにされるような人生だけはどうしても嫌《いや》だった。それより何より、亜里沙の才能を見限った父さんが、フェンシング界から身を引かせるために、亜里沙を伯母夫婦の許に預けようとしているのでは、とそんな疑念すら抱いた。

『私、この家に残るわよ。だいたい、伯母さんたちじゃフェンシング教えられないでしょ?』

亜里沙は皮肉を込めてそう言ったものだが、父さんはいつものあの眼差《まなざ》しで見返してくるだけだった。

そんな時だ。母さんの故国から、あるオファーが舞《ま》い込んできた。指導者《しどうしゃ》としても名高いジル・ベルトンを、私立帝蘭《ていらん》女学園のフェンシング部コーチとして招聘《しょうへい》したい、という内容の申し出だ。

先方は一人娘の亜里沙のことも調《しら》べ上げていたようで、本人にその気さえあれば、亜里沙を学園に特待生として編入《へんにゅう》させる用意もある、と伝えてきた。

太っ腹というより、なかなか強《したた》かな申し出である。最強のコーチと優秀《ゆうしゅう》な助《すけ》っ人《と》を、フェンシングの先進国から一度に手に入れようというのだ。

亜里沙はこのオファーを受けようと、強く主張した。母さんが生まれ育った国をこの目で見てみたいという思いは、ある種の憧憬《しょうけい》のように胸の内に燻《くすぶ》っていたし、日本のように遠く離《はな》れた国ならば、自分のことを「ジルの娘」としてではなく、亜里沙という一個人として見てもらえると、そう考えたから。

でも、この決断は大きな間違いだった。

自分の人生は伝記にはなりはしないなと、亜里沙は思う。だって、山あり谷ありの人生の果てに、一つ二つの幸福が待ち受けてこその伝記だ。ずっと山続き谷続きの人生なんて、読者を憂鬱《ゆううつ》にするだけ。

——父さんは、異国の地で死んだ。

車の運転中、大きな事故に巻き込まれ、この世を去ったのだ。

損傷が酷《ひど》かったらしく、遺体と対面することも叶《かな》わなかった。見つかった遺品をもとに、父さんの死を告げられただけ。

父さんが死んでから、まだ一週間しか経《た》っていない。それなのに、父さんの姿はおぼろげにしか思い出せない。自分に残されたのは、父さんのあの眼差《まなざ》しだけだ。自分が思い出せるのは、父さんのあの眼差しだけ。

……父さん。

そんな目で見ないでよ、父さん。

父さんが望むような、立派な選手には育たなかったかもしれないけど。

これでも私は、自分なりに頑張ってきたんだよ？

怒りも、憎しみも、苛立《いらだ》ちも。剣先を向けるべき相手を見失い、どこか虚《うつ》ろになっていく。

亜里沙《アリサ》はふと思う。

なぜ、自分は戦っていたのだろう？

苦しみ、足掻《あが》き、同年代の人々が楽しく過ごしているであろう時間の大半を、努力の汗と引き換えにして――自分はいったい、何と戦っていたのだろう？

絡みつくような思考の果てに、父さんのあの眼差しを見た亜里沙は、ぎりっと歯軋《はぎし》りして呟《つぶや》く。

――父さん。

あなたは私の目標《てき》にさえ、なってはくれないのね…………。

＊　＊　＊

亜里沙の自宅は帝蘭《ていらん》女学園から程近いところにある、瀟洒《しょうしゃ》な造りの一軒家である。

日本に移住することが決まった時、亜里沙はアパート暮らしを覚悟していた。日本は土地も物価も高い、という予備知識《ちしき》くらいはあったからだ。

しかし父さんは少しくらい背伸びすること覚悟で、一戸建てを購入《こうにゅう》した。よそ者である自分たちが異邦の地に早く溶け込むには、その土地に根を下ろす、という生活をすることが一番だと考えたらしい。

亜里沙もその考えにはうなずく所があったので、結局は一戸建てを買うことにも反対しなかったのだが、今になってふと思う。土地つきの家に住むということは、同時に易々《やすやす》と逃げ帰ることができなくなるということでもある。家の購入は異国で上手《うま》くやっていく知恵というより、不安を拭《ぬぐ》うための父さんなりの覚悟の表れであったのではないだろうか。

でも、そんな覚悟を嘲笑《あざわら》うかのように、運命は父さんの命を奪った。

十六の身空《みそら》で両親を亡くした亜里沙は、これから自分で身の処し方を考えねばならない。家は、きっと処分することになるだろう。母さんの親戚《しんせき》が声をかけてくれているから、好意に甘えてそちらでしばらく暮らすことになるかもしれない。

でも、今はそういった諸々《もろもろ》のことは頭の隅に追いやっている。近くに大きなフェンシングの大会が控えており、そちらに集中するためだ。大会でいい成績《せいせき》を収めることが父さんの供養にもなると思いますからと、周りの人たちにも納得してもらい、はっきりとした答えを引き延ばしているのが現在の状況である。

亜里沙《アリサ》は自宅に帰りつくと鍵《かぎ》を開けて中へと入り、玄関口で学校指定の革靴をおざなりに脱ぎ捨てていく。とその時、何だか不可解な気配《けはい》を察し、亜里沙はハッと顔を上げた。玄関からはまっすぐに廊下が延び、突き当たりのドアは居間へと繋《つな》がっている。この家には父さんと二人きりで暮らしていたから、今は亜里沙の他《ほか》は誰《だれ》もおらず、家の中は閑寂とした雰囲気に満たされている――はずだ。そうでないとおかしい。だというのに、居間の方に何者かが潜《ひそ》んでいるように思えて仕方ない。

勘は、自分でも鋭《するど》い方だと思う。そしてこういう時の勘は、外れたことの方が少ない。

亜里沙は玄関の脇《わき》に置いてある傘立《かさた》てから、父さんが使っていた、少し長めの丈夫な傘を抜き取った。亜里沙はその傘を手にしたまま、息を潜めて居間へと続く廊下を進む。外に出て人を呼ぶ、という考えはチラリとも過《よ》ぎらなかった。むしろ湊《みなと》に完敗したウサを晴らせるかもと、未《いま》だ見ぬ不法侵入者に感謝《かんしゃ》の気持ちすら抱いた。

正直、一般人に後れをとるとは全く思っていない。相手がナイフの類《たぐい》を持っていたとしても、傘一本があれば掠《かす》らせることすらなく完勝できる自信がある。

才能だと自惚《うぬぼ》れるつもりは毛頭ない。血の滲《にじ》むような努力の果てに辿《たど》り着いた領域が、そういったレベルだったというだけのこと。

（……才能云々《うんぬん》を言うなら湊でしょうね）

悔しいが、そのことに関しては認めざるをえない。私立帝蘭《ていらん》女学園フェンシング部部長・浜《はま》口《ぐち》湊は、一言でいうならば——化け物である。

公式戦無敗。

それだけならば、まあ『天才』の一言で済ませてもいい範疇《はんちゅう》であろう。特にここ日本では、剣道人口に押される形で、フェンシング人口そのものが少ない。頭一つ抜きん出ていれば、無敗記録《きろく》が続くこともある。

だがしかし、公式戦で未だ一本も取られたことがないとなれば、話は別である。

フェンシングは『フルーレ』『エペ』『サーブル』の三種目にわかれており、各種目とも五本勝負と十五本勝負が存在する。制限時間内にこの決められた本数を先取すればいいわけだが、これまで組まれた公式戦の中で、湊は相手選手《せんしゅ》から一本たりとも取られたことがない。ライバルたちの台頭を許したとはいえ、フランスで開かれていたフェンシング大会で常に上位に名を連ねていた亜里沙でさえ、公式戦では湊から一本も取れずにいるのだ。まさしく化け物である。

今日《きょう》の練習で湊に突かれた心臓《しんぞう》の辺りがチクリと痛んだように思えた。その痛みは徐々に悔しさに変わり、怒りへと昇華していく。

居間へと続くドアの前へと辿《たど》り着いた。頭に血が上っているせいか、不法侵入者に対する恐怖心は微塵《みじん》も感じない。

（運が悪かったわね）

——私も、あなたも。

そう胸の中で呟《つぶや》くと、亜里沙《アリサ》はドアノブに手をかけ、一気に開け放つ。勝手知ったる我《わ》が家の居間である。物陰から飛び掛かられるのだけを警戒《けいかい》しながら、部屋の中を即座に見渡す。

そして亜里沙は見た。

ソファーを挟んで斜向《はすむ》かいにある、庭へと通じる大きな窓の前。昔の郵便配達夫を思わせる時代錯誤《さくご》な服を身につけ、文字盤《もじばん》のある長大な杖《つえ》を手にした、その不可思議《ふかしぎ》な人物の姿を。

侵入者を見つけたらすぐさま叩《たた》き伏せてやろうと考えていた亜里沙だったが、一歩も動けなかった。毒気を抜かれるとは正にこのことだろう。ヘンテコな服装に呆気《あっけ》に取られてしまった、というのもあるが、それより何より気になったのは——

（……ウソ。女の子じゃない）

侵入者は金品目当てに忍び込んだろくでなしの野郎であり、顔面が変形するような手傷を負わせたところで自分は何の痛痒《つうよう》も感じない——とまあそんなことを考えていた亜里沙だが、相手が同性となると話は違ってくる。それに、彼女からは害意というか、そういう禍々《まがまが》しいものが全く伝わってこない。それどころか、確《たし》かに目の前にいるというのに、少しばかり焦点をずらせば姿を捉《とら》えられなくなるような、そんな危うい儚《はかな》さすら覚えてしまう。

あなたは誰《だれ》?

どうしてここにいるの?

そういった疑問はいくつも浮き上がってきたが、亜里沙が最初に口にした質問は、言った本人がハッとしてしまうような、そんなものとなった。

「あなた……人間なの?」

少女はその問いかけに口を噤《つぐ》んだままだったが、不可解なことに、

『えーっと』

と、声が聞こえてきた。

亜里沙はびっくりして、思わず傘《かさ》を手に身構える。だってその声は、目の前の少女が発したものではなく、信じ難《がた》いことに——彼女が手にする長大な杖から聞こえてきたのだから。

亜里沙が身構えたことに慌てたのか、その声は口早に告げる。

『あの、びっくりさせてゴメン。とりあえずその傘を下ろして。何もしないからさ。ねっ?』

しかしそんな一言で警戒を解けるほど平静な状況ではない。そのまま傘を下ろさずにいると、少女がほうと溜息《ためいき》をついた。それは亜里沙の反応に対する溜息というよりも、彼女が手にしている杖の対応に呆《あき》れている、といった感じである。

亜里沙が眉宇《びう》をひそめて見つめる先で、少女がゆっくりと口を開く。

「驚《おどろ》かせて悪かったわ。私は文伽《フミカ》。そしてこっちが——」

そう言って、手にしている杖《つえ》をおざなりに一瞥《いちべつ》して、

「相棒のマヤマよ」

と、簡単《かんたん》な自己紹介を済ます。

マヤマと呼ばれた杖が不満そうな声を上げた。

『ねぇ文伽。何か僕の扱いが軽くない？　相棒なんだからさ、紹介する時にもっと敬意を払ってくれてもいいんじゃない？』

「敬意を払ってもらいたかったら、せめて私の足を引っ張らないで。せっかく静かに話し合いができそうだったのに、マヤマが急に声を出すから警戒《けいかい》されたわ」

『いや、あれはその、僕のせいというか、流れがそうさせたわけで……』

もごもごと口籠《くちごも》るマヤマを無視して、文伽は亜里沙《アリサ》をひたと見据えてくる。その瞳《ひとみ》は深く澄《す》んでいて、一度でも視線《しせん》が合えば、もう二度と目を逸《そ》らせなくなるような、そんな魔法《まほう》めいた魅力《みりょく》があった。

狂暴《きょうぼう》な感情はもとより、警戒心も徐々に薄《うす》れてきてはいたのだが、何だか傘《かさ》を下ろすタイミングを逸してしまった。亜里沙が次にとるべき行動について迷っていると、その内心を全《すべ》て見透かしているような文伽が、不意に突拍子《とっぴょうし》もない話を口にする。

「私は〝死後文《シゴフミ》〟の配達を——死者からの手紙を届ける仕事をしているの。亡くなったあな

たの父親から手紙を預っているんだけど、受け取ってもらえるかしら？」

彼女の突飛《とっぴ》な話よりも、『父親』という単語にピクリと反応してしまった。亜里沙は眉《まゆ》をひそめ、オウム返しに訊《たず》ねる。

「……父さんからの、手紙？」

「ええ。そうよ」

非難《ひなん》されていたので話題が変わって嬉《うれ》しいのか、マヤマが畳みかけるように言う。

『信じ難《がた》い話だとは思うけど、嘘《うそ》じゃないよ？　亡くなったジルさんともさっきまで一緒《いっしょ》だったんだ。実はさ、今日《きょう》の部活の様子《ようす》も見てたんだ。あのフェンシングっていう競技《きょうぎ》、すごくカッコイイね。めまぐるしく変わる攻防には本当にハラハラドキドキさせられ――』

マヤマの言葉がそこでピタリと止まる。本筋から外れていくのを牽制《けんせい》するように、文伽がジロリと一睨《ひとにら》みしたのだ。亜里沙はその様子を、どこか唖然《あぜん》とした体《てい》で眺める。

――バカげてる。

そんな思いがある反面、思い当たる節もある。部活を後にする時に自分に突き刺さってきた、あの無数の視線。あの視線の中には、父さんの眼差《まなざ》しらしきものも確《たし》かに存在した。もし、あの場で感じた父さんの視線が、勘違いの産物などでなかったとしたなら……。

亜里沙は、思う。

傘を下ろして警戒を解くか。

歯牙《しが》にもかけずに叩《たた》き出すか。

どちらの行動に出るにせよ、これが最後のチャンスだ。相手はまるで湊《みなと》のように、泰然とした様子《ようす》で待ち構えている。

亜里沙《アリサ》は一呼吸の後、心の中で踏み込んだ。この下段へのフェイントが、成功するかどうか。

「……父さんと一緒《いっしょ》にいたって、そう言ったわよね？　父さんはいつも通りだった？　い、い、い、い、い、い、い、い、い、い、い、い、いつものように、私に笑いかけてくれていた？」

笑止、とばかりに叩き落された。

文伽《フミカ》は眉《まゆ》一つ動かさず、淡々とした口調《くちょう》で事実だけを述べる。

「――いいえ。まるで痛ましいものでも見るように、あなたのことを見つめ続けていたわ」

思わず、乾いた笑《え》みが洩《も》れた。

全身から力が抜けた。

亜里沙は傘《かさ》を下ろすと、少しばかり頼りない足取りでソファーへと歩き、とすんと身体《からだ》を沈める。そのまま頭を大きく後ろに反らし、天井《てんじょう》を仰いだ。瞳《ひとみ》を閉じてしまおうかとも考えたが、今のこの状況では、瞼《まぶた》の裏に父さんのあの眼差《まなざ》しを感じてしまいそうで、結局やめた。

亜里沙は、まるで涙を堪《こら》えるかのように。

ただただ、天井を睨《にら》み続ける。

そんな亜里沙に、マヤマがおずおずといった感じで声をかけてきた。

『えっと……僕らの言うこと、信じてくれるの?』

亜里沙は吐息混じりにその問いかけに応《こた》える。

「……私のおばあちゃん、すごく迷信深い人だったのよ。あなたたちが言うこと以上に不思議《ふしぎ》なこと、よく話して聞かせてくれたわ。だからかな。躍起《やっき》になって否定しようとは思わない」

『それじゃあ、手紙も受け取ってくれる?』

「ええ。その辺に置いといて」

ぶっきらぼうにそう応じたが、これには文伽が納得しなかったらしい。彼女はソファーの前へとやってくると、すっと手紙を差し出してくる。

亜里沙はチラリとその手紙に目をやった。何の変哲もない封筒に、白く縁取《ふちど》りされた真っ黒な切手が貼《は》られている。表にある『亜里沙へ』と書かれた宛名《あてな》の文字は少し歪《ゆが》んでいて、日本語を勉強中だった父さんのものに違いないと思えた。

手紙をきちんと受け取るまで文伽は引き下がりそうにない。亜里沙は嘆息すると頭を起こし、彼女の手から手紙を受け取る。

「――これでいいでしょ?」

手紙を指先でヒラヒラさせながらそう訊《たず》ねたが、文伽はまだ満足がいかないらしく、目の前に佇《たたず》んだままだ。

「まだ何かあるの?」

眉間《みけん》に皺《しわ》を寄せてそう問いかけると、文伽《フミカ》は悪びれる様子《ようす》もなく言葉を紡《つむ》いだ。

「亡くなった父親からの手紙なのに、嬉《うれ》しそうな顔、全然しないのね。父親に負い目でもあるのかしら？　中身を見るのをそんなに怖がるなんて」

正直な気持ちをズバリと言い当てられて、亜里沙《アリサ》はぐっと喉《のど》を詰まらせる。

――だって仕方ないじゃない!!

そう、亜里沙は心の中で叫んだ。

手紙の内容は読まなくてもわかる。この中にはフェンシングのことが書かれている。亜里沙をさらなる高みに上らせるための、末期の指導《しどう》が書かれている。

でも、亜里沙は知っているんだ。父さんが指導することの半分も、自分は吸収できないということを。そしてそのことを、父さんもよくわかっている。わかっていながらも、親子の最後の絆《きずな》とばかりに、亜里沙を見捨てるでもなく機械的《きかいてき》に指導を続ける。

……なんて滑稽《こっけい》なんだろう。

フェンシングを通じてしか寄り添えない親子。

フェンシングを通じてでは「父さん」とも呼べやしないのに。

もういいじゃないか、と亜里沙は思う。

父さんは死んだんだ。身につきもしない技術のために、血反吐《ちへど》を吐くような努力を払う必要なんてもうない。父さんだってコーチを引退してしまいさえすれば、いつまで経《た》っても上達しない亜里沙を見て、あんな眼差《まなざ》しを送ることもなくなるじゃないか。

だから、もういいじゃない。

もういいじゃない、父さん。

それなのに、どうしてなの？

こんな手紙、私はもう、受け取りたくはなかったよ……。

亜里沙は唸《うな》るような声を絞り出す。

「……私が受け取った手紙よ。私がどんな感想を抱こうが、あなたには関係ないでしょ。放っておいてよ」

それでも多少の反駁《はんばく》はあるだろうと思っていたのだが、文伽は意外にも、

「そうね」

とだけ告げて踵《きびす》を返した。文伽はそのまま、もう用は済んだとばかりに居間のドアへと向かう。

その後ろ姿を見送っていた亜里沙の胸中に、不意にどうしようもないほどの寂しさが湧《わ》き起こってきた。

父さんが帰らぬ人となったあの日も、亜里沙はこうしてソファーに座り、父さんの背中を見送った。あの日はフェンシング協会の集まりがあるということで、父さんは一人で出かけていったのだ。

——また、独りぼっちになってしまう。

そんな焦燥感《しょうそうかん》が亜里沙《アリサ》を苛《さいな》んだ。父さんがいないこの家は、亜里沙が一人で住むには広すぎる。今この瞬間《しゅんかん》だけでもいい。誰《だれ》かに傍《そば》にいて欲しかった。独りぼっちにはなりたくなかった。たとえ文伽《フミカ》がこの世ならざる者で、自分に災厄《さいやく》を運んでくる配達人だとしても——いま独りぼっちになるくらいなら、死んだ方がマシのようにも思えた。

バタン、と音を立ててドアが閉まる。亜里沙は慌ててソファーから立ち上がり、

「ち、ちょっと待ってよ！」

と声を上げる。

急いで文伽が消えていったドアへと向かうが、途中で足がもつれて転びそうになった。それでも天性の反射神経で転倒を免れると、縋《すが》り付くようにしてドアノブに手をかける。

「手紙を届けてくれたお礼に、お茶ぐらいなら出す——」

そう言いながらドアを開けると、そこにはもう文伽の姿はなかった。宵闇《よいやみ》が満ちてきた屋外と同様、薄暗《うすぐら》くひっそりとした廊下が玄関へと延びるだけだ。

自分は白昼夢でも見ていたのだろうか？

そんなことも考えたが、手にしたままのシゴフミが、その可能性を真っ向から否定している。

しばらくその場に呆然《ぼうぜん》と立ち尽くしていた亜里沙だったが、やがてペタンと、膝《ひざ》から崩れ落ちるようにしてフローリングの床へと座り込む。その口から零《こぼ》れ落ちるのは、弱々しい、自嘲《じちょう》

的《てき》な呟《つぶや》き。

「……何やってんだろ、私」

❦ ❦ ❦

「みんな、ちょっと集まってー」

パンパンと手を叩《たた》いて注目を促しながら、湊《みなと》がそう声を上げた。湊の後ろにはフェンシング部の臨時《りんじ》コーチ兼顧問《こもん》である、服部《はっとり》先生の姿もある。

休憩《きゅうけい》を取って汗を拭《ぬぐ》っていた亜里沙は、すぐさまピンときた。大会は一週間後と迫っているが、前コーチの突然の死もあって、団体戦の選手《せんしゅ》はまだ発表もされていない状況だったのだ。ここにきてやっとメンバーが決まった、ということだろう。

部員たちが練習の手を休めて集まるが、顧問の服部先生の前に集合するというより、その隣《となり》にいる湊のところに寄って行くような形となる。まあ、それも仕方ないことだろう。服部先生はまさしく臨時の顧問であり、急造のコーチである。部員の一年生からは、服部先生が本屋でフェンシングの入門書を買っているところを見た、なんていう話まで出る始末だ。まだ三十代前半と若く偉丈夫ではあるのだが、信頼を得るには少しばかり頼りない。今回のメンバー選出も、部員たちの実力をよく知る湊の意見が大きく反映されていることだろうと思えた。

服部《はっとり》先生は自分の唯一の仕事とばかりに、声を張り上げて告げる。

「えー、来週に迫った大会の団体戦メンバーを発表したいと思う。現時点で考えうるベストメンバーを選《えら》んだつもりだ。選ばれた者は帝蘭《ていらん》の名に恥じぬよう、全力で試合に臨《のぞ》んでもらいたい。そして選ばれなかった者も、自分たちの代表を胸を張って送り出し、試合の時は声の限りに応援するように。それでは、発表する」

そこで先生は、もったいぶるように部員たちの顔をぐるりと見渡した後、朗々たる声で発表した。

「浜口湊《はまぐちみなと》、岩崎美樹《いわさきみき》、小和田理香《おわだりか》、森由紀子《もりゆきこ》。以上の四名が団体戦のメンバーだ」

盛大な拍手を送ったのは、メンバー発表をした服部先生だけだった。部員たちは皆、一様に驚《おどろ》いたような顔を見せ、周りの者と視線《しせん》を交わす。例外なのは、一片の揺らぎも見せずに佇《たたず》み続ける湊と、あまりのことに身動き一つできないでいる亜里沙《アリサ》だけだ。

拍手を送っていた服部先生も、この場の異様な雰囲気に飲まれるようにして、やがて叩《たた》いていた手を止めた。しかし、何がどうなっているのかは理解できていないらしく、困惑するように視線を泳がせる。

その行動一つとってもわかる。帝蘭フェンシング部の顧問《こもん》としては、服部先生はあまりに勉強不足である。

開かれる大会にもよるが、団体戦の一チームは四~五名の登録選手《とうろくせんしゅ》で編成《へんせい》され、そのうちの三名が相手チームの三名と計九試合を行う、というリレー方式で雌雄《しゆう》を決することとなる。

そしてこの団体戦において、帝蘭フェンシング部は、去年の夏から負け知らずである。

去年の夏といえば、帝蘭女学園がフェンシング部にフランス人の新コーチを招いた頃《ころ》であり、それと同時にコーチの娘が部員として活動を始めた時期とも重なる。

高校のフェンシング界に明るい者ならば誰《だれ》もが知っている。

無敗記録を持つ、湊。

最強の助っ人《すけと》たる、亜里沙。

この二本柱を有するがゆえに、帝蘭は団体戦においても無敵なのである。

だというのに。

（……私が、メンバー落ち？）

信じられなかった。

タチの悪い冗談《じょうだん》にしか聞こえない。

湊と美樹と理香の三名がメンバーに入るのは、これはまあ納得できる。湊は自他共に認める帝蘭のエースであるし、美樹も不動のポイントゲッターとして充分な活躍《かつやく》を見せている実力者である。交代要員にまわることの多い理香だって、他校からすれば垂涎《すいぜん》の的となる、レベルの高い選手だ。

でも、由紀子は違う。

由紀子《ゆきこ》は「凜々《りり》しくてカッコイイ先輩《せんぱい》」である湊《みなと》に憧《あこが》れてフェンシング部に入部した、少しミーハーなところがある一年部員である。本来なら軽んじられて当然の人物であるが、意外と存在感を示しているのは、驚《おどろ》くほど練習熱心《ねっしん》であるからだ。その部分においては亜里沙《アリサ》も認めるし、素質もあるので一番の成長株であろうとは思うが、それでも彼女には自分を蹴落《けお》とすほどの実力は備わってはいない。五本やって、一本とられることがあるかどうか、というほどに実力差はある。

信じられない、という思いは。

やがて、屈辱の色へと変化していく。

名ばかりの顧問《こもん》なんて眼中にない。亜里沙は前にいた部員たちを押しのけ、この団体戦メンバーを推したであろう湊へと詰め寄った。

「ちょっと湊、これはどういうことよ？　どうしてメンバーの中に私の名前がないの？」

思っていた以上に険のある声が零《こぼ》れた。周囲の空気が困惑を孕《はら》んだ浮ついたものから、ピンと張り詰めた鋭利《えいり》なものに変わるのを肌で感じる。それでも、いまさら引くわけにはいかなかった。認めるわけにはいかなかった。亜里沙は容赦ない苛烈《かれつ》な眼差《まなざ》しで湊を睨《にら》みつける。

しかしこの抗議《こうぎ》は予想していたらしく、湊は落ち着き払った様子《ようす》で応《こた》えた。

「前の練習でも言ったと思うけど、最近の亜里沙は全然らしくないのよ。今の調子《ちょうし》ならメンバーを入れ替えた方が得策だって、服部《はっとり》先生にはお伝えしたわ」

「勝手なこと言わないでよ。何様のつもり？　昨日今日《きのうきょう》にフェンシングを始めた素人《しろうと》じゃあるまいし、調子だって大会までには戻してみせるわよ」

そうは言ったものの、自信は全くなかった。父さんが死んでからというもの、自分が何のためにフェンシングを続けているのかも、よくわからない状態となっていたから。

そして、亜里沙のそういった心情や不安を汲《く》み取れないほど、帝蘭《ていらん》フェンシング部の部長ドノは愚鈍《ぐどん》な人物ではなかった。

湊はハッキリとした口調で続ける。

「そんな単純な問題じゃないでしょう？　亜里沙が出ないのは正直痛いけど、部活は四人だけでやるものじゃない。誰《だれ》かが調子を落としたり怪我《けが》をしたら、他《ほか》の部員が代わりに出るのは当然のことよ」

正論《せいろん》は、時にひどく神経を逆撫《さかな》でるものだ。

不満や苛立《いらだ》ちが、明確《めいかく》な怒りへと転じていくのが自分でもわかる。最近の不安定な精神状態とも相俟《あいま》ってか、怒りは徐々に静まっていくどころか、すごい勢いで熱《ねつ》を帯びていった。思考は朧《おぼろ》になっていくのに、感情だけは輪郭《りんかく》を増す。

独り蚊帳《かや》の外になっていた服部先生が、自分の存在を示すように話に割って入ってきた。

「参考にするために部長である浜口《はまぐち》の意見は聞いたが、団体戦のメンバーを最終的に決めたのは先生だ。異論《いろん》があるなら直接先生に言いなさい。大会を直前に控えているのに、部員どうしでいがみ合うんじゃない」

その言葉を聞き、亜里沙《アリサ》はきゅっと唇を噛《か》み締《し》める。

（――フェンシングのこと、ろくに知りもしないくせに。ちょっと黙《だま》っててよ）

喉《のど》から出かかったその科白《せりふ》を、亜里沙はすんでのところで飲み込んだ。もう爆発《ばくはつ》寸前なのだ。これ以上、馬鹿《ばか》なことを言って刺激《しげき》しないで欲しかった。たとえ相手が先生でも、我慢できる保証などありはしないのだから。

と、その時だ。

「あのぉ……」

おずおず、といった感じの声が上がり、部員の一人が亜里沙の隣《となり》まで進み出てきた。湊《みなと》のことを真似《まね》ているのであろう、髪はサラサラのボブカット。瞳《ひとみ》は小動物を思わせるようなアーモンド型で、愛嬌《あいきょう》がにじみ出ている。その人物は団体戦のメンバーに大抜擢《だいばってき》された、一年生部員の森由紀子《もりゆきこ》である。

由紀子は亜里沙の方をチラチラと気にしつつ、湊へと話しかけた。

「私、団体戦のメンバーに選《えら》ばれたことはすごく嬉《うれ》しく思うんですけど……でもやっぱり、期待よりも不安の方が大きいです。ここ最近、帝蘭《ていらん》は団体戦で負け知らずだけど、それは湊先輩《せんぱい》と亜里沙先輩、そして美樹《みき》先輩と理香《りか》ちゃんの四人で出てたからだし……」

そこでいったん言葉を切った由紀子は、意を決したように亜里沙の方に顔を向けた。そして、人好きのする笑顔《えがお》を湛《たた》え、その一言を告げる。

「――だから、私はいいです。亜里沙先輩、どうぞ団体戦に出てください」

スウッ、と血の気が引いていく感覚があった。それと同時に、振り切れてしまった、という言葉が腹の底に落ちる。

（……それはダメだ、由紀子）

亜里沙は、思う。

それだけは、言っちゃいけないことだったんだ。

それだけは、やっちゃいけないことだったんだ。

自分だって、単なるわがままからこんなことを言い出したわけじゃない。本調子《ほんちょうし》でないとはいえ、由紀子に後れをとるほどではない、という自負があるからこそ話をしているのだ。だというのに――。

後輩からメンバーの座を譲《ゆず》られる形になって、ありがとうと感謝《かんしゃ》の言葉を吐くとでも思うのか？　相手の自尊心を傷付けるのではないかと、最低限の想像力を働かせることすらできないのか？

湊の金魚のフンは、湊のことだけ考えていればいいんだ。

この私に――

（この私に、余計な気を回すんじゃないわよっ!!）

亜里沙《アリサ》は深く、深く息を吐き出すと、隣《となり》にいる由紀子《ゆきこ》を横目で一瞥《いちべつ》する。そして、抑揚を欠いた口調《くちょう》で言葉を紡《つむ》いでいった。

「……気が変わったわ。団体戦、やっぱり由紀子が出なさい」

「えっ、でも……」

困惑と喜びが半々といった体《てい》の由紀子に、亜里沙は容赦なく言い放つ。

「よかったわね。おめでとう。——湊《みなと》に媚《こび》を売ってた甲斐《かい》があったじゃない」

由紀子の顔が一瞬《いっしゅん》で強張《こわば》った。

（——いい気味）

そう思って口の端を上げた刹那《せつな》、乾いた音と共に視界が真横に流れた。

何が起こったのかわからなかった。由紀子の表情を嘲笑《あざわら》っていたはずなのに、どうして自分はあらぬ方を向いているのだろう？　そんなことを考えている間に、左頬《ひだりほお》がじんわりと熱《あつ》くなっていき、やがてズキズキと痛み出す。

頬を張られたのだとわかったのは、その痛みゆえではなく、向き直った先に湊の険しい表情があったからだ。亜里沙と視線《しせん》が合うと、湊は少し後悔するような光を瞳《ひとみ》に浮かべたが、すぐさま毅然《きぜん》と言い切る。

「亜里沙、言っていいことと悪いことがあるよ。由紀子は実力で団体戦のメンバーに選《えら》ばれたんだ。納得がいかないといっても、それぐらいのこと、亜里沙にだってわかってるでしょう？」

思考がぐちゃぐちゃで何が何だかわからない。それでもとにかく反論《はんろん》しなきゃと口を開くが、機先《きせん》を制するようにして、湊《みなと》はぴしゃりと言った。

「コーチが亡くなって辛《つら》いのはわかる。でも、その不幸に甘えて独《ひと》り善《よ》がりになるのは止《や》めて。みんなが迷惑するわ」

痛いのは、張られた頬《ほお》か、その言葉か。

答えは、とっくに出ているように思えた。

あまりのことに呆気《あっけ》にとられていた服部《はっとり》先生が、ハッと我《われ》に返り、慌てて二人の間に割って入ってくる。

それがきっかけとなり、亜里沙《アリサ》の呪縛《じゆばく》が解かれた。

亜里沙は俯《うつむ》き、唇を噛《か》み締《し》めると、踵《きびす》を返して一散に駆け出す。

湊の声が追いかけてきたけれど、亜里沙は振り返ることはおろか、顔を上げることすらできなかった――。


自宅に辿《たど》り着いた亜里沙は、暗澹《あんたん》とした気分のままドアの鍵《かぎ》を開け、家の中へと入った。二階の自分の部屋へと戻ろうかとも思ったが、あんな狭苦しい部屋で独りきりでいると、死にたくなるほどに落ち込んでしまいそうだ。亜里沙は仕方なく、廊下をまっすぐに進み、居間へと足を踏み入れる。

居間の中はいつもと何ら変わらず、あの不思議《ふしぎ》な少女の姿も見受けられなかった。そのことをどこか残念に思っている自分に何だかイラついて、亜里沙はソファーに倒れ込むようにして横になる。何か楽しいことを考えて頭を切り替えたいのだが、思考は部活の場面をぐるぐると無限にループさせた。

「……不幸に甘えてる、か」

返す言葉もないとはこのことだ。由紀子《ゆきこ》にはとんでもなく酷《ひど》いことを言ってしまった。精神的な余裕がないことは自覚していたが、それは自分への単なる擁護《ようご》であり、結局は甘えだったのだろう。

自分は甘えていたのだ。

父親の死を盾にして、周りの皆に甘えていた。

それはあの湊に対してもそうだ。彼女にだけは決して弱みを見せたくはないと、常日頃《つねひごろ》から思っていたというのに、その湊にさえ甘えていた。どんな酷いことを口走ろうが、彼女なら、自分に手を上げるようなことはすまい。頭の隅でそう思ってたんだ。心の底でそう信じてたんだ。

けれど。

それはただの甘えた幻影《げんえい》なのだと、あの平手打ちが教えてくれた。

悪夢からは覚めたが、現実は悪夢以上に陰惨で、憂鬱《ゆううつ》だ。亜里沙《アリサ》はソファーの上でうつ伏せになり、「最低」と小さく呟《つぶや》いた。そのまま腕をだらんと伸ばすと、ソファーの横にある、小さなガラステーブルに手が触れる。

亜里沙は頭を持ち上げ、視線《しせん》をそちらに動かした。テーブルの上には、今は亡き父親からの手紙である、あのシゴフミが置いてある。

自分の意思というより、寂しさが腕を動かした。亜里沙はシゴフミを手に取り、窓から差し込んでくる陽《ひ》の光に透かして見る。だが、当然といえば当然か、中にある便箋《びんせん》の輪郭《りんかく》は浮かび上がるものの、文面までは読めはしない。

亜里沙は思い切って、封のところに両手をかけた。そのまま指先に力を込め、開封しようとするが――結局、そこまでで終わった。亜里沙はのろのろとした動作でシゴフミをテーブルの上へと戻す。

自分はもはやフェンシング選手《せんしゅ》としても必要とされない、無価値な存在になってしまったのだ。いまさらこんな手紙を読んだところで、いったい何になるというんだ？　いったい何が変わるというんだ？

亜里沙は寂しさを追いやるために、憎しみすら込めてシゴフミを一瞥《いちべつ》するが、ふと眉《まゆ》を上げる。テーブルの上にはシゴフミの他《ほか》にテレビのリモコン等の細々としたものが置かれているのだが、その中に目を引くものがあったのだ。

亜里沙は再び腕を伸ばし、テーブルの端にちょこんとある、子犬の形をした銀色《ぎんいろ》の文鎮《ぶんちん》をひょいと持ち上げた。そして、その下に敷《し》かれていたチケットを手に取る。それは「相馬貴明《そうまたかあき》」というマジシャンが出演する、マジックショーのチケットである。

相馬貴明といえば、日本で活躍《かつやく》している新進気鋭《しんしんきえい》の若手マジシャンだ。最近ではテレビで取り上げられることも多くなり、各地で開催されるマジックショーも大盛況であるという。そんな彼のチケットがどうしてここにあるかというと、父さんが亜里沙のためにこっそり購入《こうにゅう》してくれていた——なんてことではもちろんなく、相馬貴明本人から、この家へと郵送されてきたのである。

実は亜里沙たちは、貴明と少しばかりの面識《めんしき》がある。貴明はマジシャンとして大成するために、ある高名な奇術師に弟子入りしたのだが、何を隠そうその奇術師というのが、亜里沙の伯父《おじ》さんに当たる人なのである。

亜里沙の伯父さんの名はロベール・ピエルスという。ヨーロッパでは知らぬ人がいない程に有名であり、マジックの本場であるアメリカにもその名を馳《は》せている、超一流の奇術師である。その伯父さんの許《もと》で四年間、貴明はマジックの腕を磨いたのだ。

貴明が伯父さんのところでマジックの修業を始めるようになった頃《ころ》、亜里沙はこう思った。

——母さんと故郷を同じくする人が、伯父さんのところにいる。

それは当時の亜里沙《アリサ》にとって、とても興味深《きょうみぶか》いことだった。既に亡くなっている母親以外、亜里沙の周りには日本人は一人としていなかったから。

……母さんが生まれ育った日本のこと、いろいろ訊《き》いてみたいな。

日本語は母さんから学んでいたので、日常会話ぐらいなら不便なく使える。フランス語にまだ不慣《ふな》れな貴明《たかあき》とも、充分にコミュニケーションがとれるはずだ。そう考えた亜里沙は、休日になる度《たび》に伯父《おじ》さんの家に上がり込み、貴明から日本の話を聞かせてもらっていた。それだけではなく、思い通りにならないことがある度に、亜里沙は貴明の許《もと》に行き、愚痴《ぐち》を聞いてもらいもした。

貴明は信頼に足る人物だったから。

心を許せる、数少ない大人《おとな》だったから。

フランスでのそういった経緯《いきさつ》があるものだから、亜里沙たちがこの日本に移り住むようになってからというもの、貴明からよくチケット等が送られてくるようになった。もう何度かショーにも足を運んでいるが、いつ見ても貴明のマジックは素晴《すば》らしく、ついつい時間を忘れて見入ってしまう。

亜里沙は手にしているチケットをぼんやりと眺めた。マジックショーの開催日は今日《きょう》。開始時刻は五時とあるから、もう始まっている頃《ころ》である。

チケットが送られてきた日、今回は大会も近くて部活も忙しくなってるだろうから、きっと行けないだろうと、そんなことを考えていた。

しかし、実際はどうだ？

団体戦のメンバーから外されて、部活からも逃げ出して、今はこうしてソファーの上でふてくされている。

「……何やってんだろ。バカみたい」

亜里沙はそう呟《つぶや》くと、深い溜息《ためいき》をつく。

それからしばらくの間、亜里沙は無言のまま微動だにしなかったが、出し抜けにヨシッと声を発した。亜里沙は勢いよくソファーから立ち上がると、手にあるチケットをポケットの中に乱暴《らんぼう》に押し込み、大股《おおまた》で玄関の方へと歩き出す。

ほんと、バカみたい。

部活を放り出して帰ってきたというのに、その部活のことでグジグジと悩み続けるなんて愚の骨頂。飛び出してきた意味がない。せっかく手に入れた自由時間なのだ。話題のマジックショーにでも出かけて、楽しく有意義に時間を使おう。もう始まっているので最初から最後までとはいかないが、今からすぐ会場に向かえば、ショーの中盤《ちゅうばん》辺りから見れるはずだ。

（……そういえば、フェンシングの練習を途中で投げ出して遊びに出かけるなんて、今まで一回もなかったたな）

少しばかりの罪悪感と、僅《わず》かばかりの高揚感。

亜里沙《アリサ》は玄関脇《わき》にある姿見で身だしなみを整《ととの》えると、うんと一つうなずき、外へ一歩を踏み出した。

❧　❧　❧

マジックショーが開かれている文化会館《かいかん》には、市内バスを使えば二十分ほどで辿《たど》り着ける。亜里沙は文化会館前のバス停で降りると、会場となっている大ホールへと足早に向かった。

大ホールの入り口には簡易《かんい》な受付が設置されており、一人の男性スタッフがパイプ椅子《いす》に腰掛けていた。ショーには何度か足を運んでいるので、そのスタッフには見覚えがあった。亜里沙が軽く会釈してチケットを差し出すと、向こうも亜里沙のことを覚えていたらしく、親しげに声をかけてくる。

「えーと、確《たし》か相馬《そうま》さんのお知り合いの方でしたよね？　客席の方はもう照明落ちてますから、足元には気を付けてくださいね。席はD―13で、二階席の最前列になります」

スタッフのその声に促されて、亜里沙は大ホールへと足を踏み入れる。会場は既に観客《かんきゃく》の熱気《ねっき》に満たされており、どこかフェンシングの試合に通じるような高まりがあった。

亜里沙は他《ほか》のお客さんに頭を下げながら、何とか自分の席につくと、ほうと安堵《あんど》の溜息《ためいき》をつく。目の離《はな》せないマジックショーで、少しの間だけとはいえ他の人の視界を遮るのは、何とも居心地《いごこち》の悪いものである。しかし、こうして席についてしまえば、後は落ちついてマジックを楽しむことができる。亜里沙はやっと人心地がつき、座席にゆったりと背を預けると、ステージへと視線《しせん》を馳《は》せる。

ステージ上には貴明《たかあき》と、手品のアシスタントをする若い女性の姿があった。亜里沙はそのアシスタントの女性を見て、思わず「あれっ」と声を洩《も》らす。

アシスタントの女性なら、以前に貴明からきちんと紹介してもらったので知っている。確か「長谷川典子《はせがわのりこ》」という女性で、貴明とは恋人どうしという話だったはずだ。しかし、今ステージに立っている女性は、典子とは別人である。亜里沙は眉《まゆ》をひそめた。

（……どうしたんだろ？　怪我《けが》でもしたのかな）

まあ、典子は何だか天然っぽいポーっとしたところがある女性だったので、単にアシスタントから外されただけかもしれないが、何だか妙に気になる。

浮かび上がってきた疑問のせいで、ショーを期待する浮ついた気持ちと少しばかり距離《きょり》が開いた。すると突然、亜里沙はハタと感じるものがあり、首を伸ばして会場内をぐるりと見渡す。

最初こそホールの熱気と興奮《こうふん》に気を取られていたが、冷静になっている今ならば、あの不思《ふし》議《ぎ》な気配《けはい》を感じ取ることができた。

清冽《せいれつ》だけど、どこか柔らかく。儚《はかな》げなのに、凛《りん》とした——あの少女の気配。

（文伽《フミカ》が……いるの？　この会場に？）

首を巡らして二階席を眺めるが、文伽《フミカ》の姿は見当たらない。今度は少しばかり身を乗り出し、一階席に彼女の姿を探した。しかし照明が落とされていることもあって、文伽が本当にいるのか確《たし》かめることもできない。

亜里沙《アリサ》が邪魔《じゃま》なのだろう。後ろの席から非難《ひなん》するような空咳《からぜき》が聞こえてきたので、亜里沙は慌てて席に座り直す。

(……きっと気のせい、よね?)

判然としないながらもそう自分を納得させると、それからはショーを楽しむことに専念した。

貴明《たかあき》のマジックには相変わらず独創的な驚《おどろ》きがあって、観客《かんきゃく》を全く飽きさせない。

嫌《いや》なことも忘れてショーに見入っていると、やがて貴明は消失マジックを披露《ひろう》しはじめた。

先ほど少しミスがあってステージ上で転倒したアシスタントを、棺《ひつぎ》の中からものの見事に消し去ってみせる。

アシスタントが消えた状態のまま、ステージから棺が撤去《てっきょ》されていき、後には床に落ちた何の変哲もない黒い布のみが残された。貴明はその布をおもむろに手に取る。どうやら棺からアシスタントを再出現させるなんていうありがちなマジックなどではなく、これまで何の意識《いしき》も向けていなかったその布を使って登場させるつもりらしい。

貴明は黒い布を両手で広げると、徐々に持ち上げていく。しかし不意に、その手の動きがピタリと止まった。

それは明らかに不自然な間だった。貴明はまるで誰《だれ》かと見つめ合うかのように、何もない空間に視線《しせん》を固定する。だがすぐさま、今はショーの最中だということを思い出したかのように、手にした布を最後まで持ち上げて——バッと翻《ひるがえ》した。すると黒い布の向こう側から、アシスタントの女性が笑顔《えがお》で現れる。

拍手と歓声が湧《わ》き起こった。どうやらこの消失マジックでショーは終わりらしく、貴明とアシスタントが客席に一礼するのに合わせ、幕がスルスルと下りてくる。

亜里沙は周りの人たちがするように、ステージ上の二人に拍手を送っていたが、やがてハッとなってその手を止めた。

だって、亜里沙は見てしまったから。

幕が下りきる寸前に顔を上げた、貴明のその表情を見てしまったから。

ショーはこんなにも大盛況だったというのに。

マジックもあんなに素晴《すば》らしかったというのに。

貴明の表情は、ひどく寂しげで——

……まるで、見えない涙を流して、泣いているようだった。

＊　＊　＊

亜里沙《アリサ》は観客《かんきゃく》の数がほんの僅《わず》かになった頃《ころ》を見計らってホールから出ると、受付にいた先の男性スタッフに声をかけた。

「あの、すみません。タカ……相馬《そうま》さんにご挨拶《あいさつ》したいんですけど、どちらに行けば会えますか？」

伯父《おじ》さんの家では、貴明《たかあき》は皆から「タカ」と呼ばれていた。その頃の癖《くせ》が抜けずに今もそう呼んでいるのだが、何だか自分たちだけの特権みたいで、少しばかり嬉《うれ》しく思う。

観客もほとんど帰っているので手が空《あ》くようになったのだろう。その男性スタッフは貴明が控え室として使っている部屋まで案内すると申し出てくれた。

スタッフに連れられて廊下を歩いていると、マジックショーの途中に浮かび上がってきた疑問のことが、ふと脳裏を過《よ》ぎった。亜里沙は隣《となり》を歩くスタッフに、その疑問をぶつけてみる。

「あの、相馬さんのアシスタントをされてた長谷川《はせがわ》さん、今日《きょう》のショーには出てませんでしたよね？　どうかされたんですか？」

軽い気持ちで訊《たず》ねたのだが、反応はハッとするほど重苦しいものとなった。スタッフの男性は沈鬱《ちんうつ》な表情を浮かべ、唸《うな》るように言葉を洩《も》らす。

「……長谷川さんは亡くなりました。もともと身体《からだ》が丈夫ではないのに、無理をさせ過ぎたんです。練習の最中に意識《いしき》を失って入院したんですが、結局そのまま……」

予想外の返答に、亜里沙は目を瞠《みは》った。

まさかそんなことになっているとは思わなかった。それでは貴明がショーの最後に浮かべたあの悲しげな表情は、今は亡き恋人を偲《しの》んで見せたものだったのだろうか。

亜里沙はしばらく言葉を失っていたが、

「……相馬さん、辛《つら》いでしょうね」

と、それだけをやっとのことで言った。

しかし、この呟《つぶや》きに対しても、予想外の反応があった。スタッフは顔をしかめると、吐き捨てるように言葉を紡《つむ》ぐ。

「――さあ、それはどうでしょうね」

えっ、と驚《おどろ》きに眉《まゆ》を上げる亜里沙に対し、スタッフは続けた。

「相馬さん、仕事熱心《ねっしん》に過ぎるところがあるんですよ。長谷川さんの身体のことをもう少し労《いたわ》っていれば、あんなことは起きなかったはずなんです。なのに結局、倒れるまで無理をさせて。それどころか、入院している長谷川さんに付き添うこともせず、すぐさま新しいアシスタント探しを始めたんですよ？　ショーに穴を空けるわけにはいかないというプロ意識がそうさせたんでしょうけど……プロのマジシャンである前に人間なんですから、もう少し人間的な対応の仕方があったんじゃないかって、僕なんかは思いますけどね」

少しばかり感情的に、そう一気に言い放ったスタッフは、ここにきて亜里沙《アリサ》と貴明《たかあき》が懇意《こんい》にしていることをハタと思い出したらしい。慌てたように口を噤《つぐ》む。

話を聞き終えた時、感情的な変化が生じるよりもまず、この人は何を言っているんだろう、という疑問が亜里沙の中で湧《わ》き起こった。

亜里沙はフランスで四年もの間、貴明と様々な話をしてきた。それゆえ、彼の性格や考えている事も、何となく理解できるようになっている。

だからこそ、思う。

この人は、いったい何を言っているのだろう?

この人は、いったい貴明の何を見てきたのだろう?

そりゃあ確《たし》かに、貴明は誤解を受けやすいタイプだとは思う。でも、非人間的だと謗《そし》られるほど、冷酷な性格はもちろんしていない。

少し考えればわかることじゃないか。

典子《のりこ》という女性はポーッとしてて、アシスタントには明らかに不向きな人だった。それなのに彼女をずっと起用していたというのは、貴明なりの愛情の表れに違いない。プロ意識《いしき》だけで動く仕事人間ならば、典子をとっくの昔にクビにしていることだろう。

入院している典子に付き添わず、新しいアシスタント探しに奔走《ほんそう》していたというその理由も、亜里沙には容易に見当がついた。

誰《だれ》よりも辛《つら》かったのは、やはり貴明なのだろう。

誰よりも彼女の回復を願《ねが》っていたのは、やはり貴明なのだ。

だからこそ、意識を失ったままの典子に付き添い、祈りを捧《ささ》げるようなことはせず、新しいアシスタントを見つけるために必死に動き回った。意識を取り戻した典子が、安心して療養《りようよう》を続けられるように。

病室に残された典子は、少しばかり寂しい思いをしただろうけれど。

貴明のそういった想《おも》いは、彼女には伝わっていることだろう。

だからきっと彼女は、不平の類《たぐい》は一切洩《も》らすことなく、天国へと旅立っているはずだ。

そんな単純なこと、どうしてこの人は理解してあげられないのだろう？

一緒に仕事をしてきた仲間だというのに、どうしてそんな心ないことを言うんだろう？

控え室として使われている部屋に辿《たど》り着いたらしく、スタッフがドアを軽くノックして、来客がいることを告げた。すると間もなくドアが開き、貴明が姿を見せる。

貴明は亜里沙の姿を認めると、

「誰が来たのかと思えば、亜里沙ちゃんか」

と、少しばかり驚《おどろ》きの表情を浮かべた。

亜里沙はスタッフに形だけのお礼を言うと、すぐさま貴明と一緒に控え室の中に入り、バタンと後ろ手にドアを閉める。貴明《たかあき》は僅《わず》かに眉《まゆ》を上げた後、苦笑するように訊《き》いてきた。

「何だか怒ってるみたいだけど、どうしたんだ?」

その問いかけに、亜里沙《アリサ》はバッと顔を上げる。

「だって――」

だってさっきの人、タカの悪口を言ったのよ?

そう言いかけて、慌てて口を噤《つぐ》んだ。仕事仲間との関係を悪くしてはいけないと思ったし、それより何より、いま言いかけた発言は、口にしてしまうと何だかものすごく気恥ずかしい思いをしてしまいそうだ。

亜里沙がううっ、と声にならない声を洩《も》らしていると、貴明は察するものがあったらしい。うっすらとした微笑を口許《くちもと》に浮かべ、亜里沙の頭をポンポンと優《やさ》しく撫《な》でた。

瞬間《しゅんかん》、亜里沙は自身の体温がぐっと上がったのを感じる。頰《ほお》どころか耳まで赤くなってるんじゃないかと思うと、恥ずかしくて顔も上げられない。子供扱いしないでよ、と貴明の手を払うべきなのだろうが、声が上擦《うわず》ってしまいそうで何も言えなかった。

……正直に言おう。

貴明は、亜里沙の初恋の人である。

だからこの人の前では、どうしたって、調子《ちょうし》が崩れてしまってしょうがないのだ。

亜里沙が黙《だま》ってされるがままとなっていると、貴明がポツリと呟《つぶや》いた。

「……ジルさんのお葬式、行けなくて悪かった。辛《つら》かったろう？　私にできることがあれば何でも言って欲しい。力になるから」

ハッとなって顔を上げると、優しく細められた貴明の眼差《まなざ》しと、ぱっちり目が合ってしまった。

再び俯《うつむ》いてしまうのは変だし、かといってこのまま見つめ合っているわけにもいかない。亜里沙は苦肉の策として、フイッと顔を背け、言う。

「べ、別にいいわよ。タカにも都合ってものがあるだろうし。それに、私はもう平気。心配しなくても大丈夫よ」

その言葉を聞いて、貴明はフッと、柔らかく笑ったようだった。

「相変わらず亜里沙ちゃんは強いね」

そして、続けてこう呟く。

「……私も、そんなふうに強くなれればいいのだけれどね」

その寂しげな声音《こわね》に虚を突かれた亜里沙は、慌てて貴明の方へと向き直った。しかしその時には、彼はくるりと踵《きびす》を返し、部屋の奥へと向かっている。

「適当に腰掛けてくれ。インスタントしかないけど、今コーヒーをいれるよ」

貴明はそう言って、中央に置かれた机にカップを二つ用意していく。

その姿を眺めていた亜里沙の胸に、急に込み上げてくるものがあった。亜里沙はきゅっと唇を噛《か》み締《し》めると、囁《ささや》くように声を洩《も》らす。

「……タカも私も、大切な人を亡くしちゃったね」

その言葉に、貴明《たかあき》はふと手を止めると、振り返りもせずにこう答えた。

「――ああ。そうだね」

彼の背中はまるで泣いているようだった。触れれば崩れてしまいそうなほど、脆《もろ》く、儚《はかな》く映る。

胸が締め付けられているように苦しくなり、呼吸さえもろくにできなくなった。亜里沙《アリサ》は咄《とっ》嗟《さ》に駆け出すと、貴明が崩れ去ってしまわないよう、抱き支えるようにして背中から腕を回す。恥ずかしさとか照れだとか、そういったものは全くなかった。そんなことよりも、貴明が目の前からフッと消えてしまいそうで、それだけが無性に恐く思えた。

亜里沙は貴明の背中にしがみつくような格好のまま、必死になって言う。

「タカ、辛《つら》かったら辛いって言えばいいんだよ？　泣きたかったら泣けばいいんだ。私はそんなタカを見ても、弱虫だなんて思わないから。絶対に笑ったりしないから。だから、だからさ……そんなに一人で背負い込まないでよ。泣き顔だって、たまには見せてよ」

言葉を紡《つむ》いでいくうちに、何だか頭がこんがらがってきた。貴明に向けた科白《せりふ》だというのに、まるで自分自身に言い聞かせているような違和感を覚える。

そんな亜里沙の戸惑いが背中越しに伝わったらしい。貴明は静かに告げた。

「……何だか立場が逆のようだね。それは本来、私が言うべき科白だ。亜里沙ちゃん。人前で泣かないというのは強さの表れじゃない。素直に泣けないという弱さの表れだ。私は弱い人間だから、人前で泣くことがどうしてもできない。素直に泣けない。眩《まぶ》しく思えるほどの素直な強さを持っているのだから、泣きたい時には泣けばいい。でも、君は違う。恥ずかしがることはない。君の涙を笑う奴《やつ》なんか、一人としていないさ。だって君は——」

そこでいったん言葉を切った貴明は、優《やさ》しく微笑を洩らしたようだった。そして彼は、慈愛に満ちた声音《こわね》で、柔らかに続ける。

「……君はまだ、子供なのだから」

反発心はいっさい湧《わ》き上がらなかった。無理に背伸びをしている亜里沙をそっと抱き締めるような、そんな暖かさが彼の言葉にはあったから。

貴明はやはり最高のマジシャンだと、亜里沙はそう思う。意地を張る意味を、言葉一つできれいさっぱり消し去ってしまったのだから。

（……泣いて、いいんだ）

そう、思えた。

亜里沙は貴明の背中にコツンと頭を預ける。

父親が亡くなってから初めて。

亜里沙は、人前で涙を流した。

❦ ❦ ❦

――バツが悪い。

本当にバツが悪い。

貴明《たかあき》は最高のマジシャンというより、最高のペテン師なんじゃないかと思う。恥ずかしがることじゃないとは言ってくれたが、やはり泣《な》き腫《は》らした顔を見られるのは恥ずかしい。初恋の人に見せるようなものじゃない。

そんなわけで、亜里沙《アリサ》はパイプ椅子《いす》に座ったまま、いれられたコーヒーにじっと視線《しせん》を落とすのみで、顔を上げることすらままならない。

チラリと目だけで窺《うかが》えば、机を挟んだ向かい側に腰掛けている貴明は、何事もなかったかのように優雅《ゆうが》にコーヒーを啜《すす》っている。その余裕の態度を恨めしく思う反面、やっぱり貴明はカッコイイなあ、なんて考えてしまう自分はやはり子供《ガキ》なのだろうか。

ほう、と小さく溜息《ためいき》をついていると、貴明が怪訝《けげん》な顔をして訊《き》いてきた。

「ん？　どうしたんだ、溜息なんかついて？」

「えっ？　あ、いや。何でもない何でもない」

亜里沙は誤魔化《ごまか》すためにカップに口をつけるが、

「――ッ⁉」

そのコーヒーは想像していた以上に高温を保っていた。亜里沙《アリサ》は慌ててカップを戻し、火傷《やけど》したかもしれない舌をべっと出すと、外気に晒《さら》して冷やす。

（もー、何なのよ～。最悪！）

手団扇《てうちわ》でパタパタと舌を扇いでいると、目の前にいることを完全に忘れ去っていた貴明《たかあき》と、はたと目が合った。

貴明は、声を殺して笑っていた。

ぼっ、と亜里沙の顔面に火がついた。急いで舌を引っ込めるが既に後の祭り。貴明は相変わらず肩を震《ふる》わせて笑っている。

恥ずかしい、という思いと共に、何だか吹っ切れた部分があった。

いいじゃないか、と亜里沙は思う。

いいじゃないか。自分はどうせ子供《ガキ》なんだ。人前で泣いたり、ドジを踏んだりしたところで、別にどうってことはない。

ああ、いいだろう。

もうこれ以降はどんな恥ずかしいことをしたところで、それほど気にはなるまい。子供は子供らしく、夢のある話でも語ってやろうじゃないか。

そう考えた亜里沙は、コホンと一つ空咳《からぜき》をして気を落ち着かせる。そして、誰《だれ》にも相談《そうだん》できなかった話をするため、僅《わず》かに身を乗り出した。

「——ねえ、タカ。ちょっと聞いてもらいたいことがあるんだけど、いい？」

「ん？　ああ、構わないよ」

貴明の返答にはまだ微《かす》かに笑いが含まれていたが、亜里沙はそのことを完全に無視して話を続けた。

「突拍子《とっぴょうし》もない話で悪いんだけど……もしも、よ？　もしも——死んだ人から手紙が届けられたとしたら、タカならどうする？　とりあえず読んでみる？　それとも、タチの悪い悪戯《いたずら》だって決めつけて、目も通さず破り捨てちゃう？」

笑われるのは覚悟の上だった。変な宗教にかぶれたんじゃないかと心配されたら、映画で観《み》たとか何とか言って誤魔化《ごまか》してしまおう、とそんなことまで考えていた。

だがしかし、貴明の反応は至極意外なものとなった。貴明はそれまで浮かべていた笑《え》みをスッと引っ込め、ドキリとするほど真剣な眼差《まなざ》しで逆に訊《たず》ねてくる。

「……ジルさんから手紙が来たのか？」

この問いかけには、亜里沙の方が狼狽《ろうばい》してしまった。ぶんぶんとかぶりを振りながら、慌てて応《こた》える。

「だから、もしもの話よ、もしもの話。そんなことが起こったら、タカならどうするかなーって」

貴明《たかあき》は視線《しせん》を机に落とすと、顎《あご》に手を当てて黙考《もっこう》し始めた。亜里沙《アリサ》は何となく居住まいを正し、彼の次の言葉を待つ。

しばらくして、貴明がポツリと口を開いた。

「……そうだね。そんな手紙があるとすれば、とにかく目を通してみるべきだと私は思うよ」

貴明は視線を上げ、亜里沙を静かに見つめ返す。

「伝えたい想《おも》いがあるから、人は手紙を書くんだ。死してもなお手紙を綴《つづ》るとなれば、その気持ちは余程のものだろう。想いに応《こた》えられるかどうかは問題じゃない。とにかく目を通して、その想いを受け止める義務が、現世に残された私たちにはあると思う」

その口振りは、まるでシゴフミの存在を信じているかのようだった。困惑して何も言えないでいる亜里沙に対し、貴明は優《やさ》しく続ける。

「その手紙、亜里沙ちゃんはもう読んだのかい？」

真摯《しんし》な瞳《ひとみ》に見つめられているうちに、「もしもの話だからもういい」などと言って、うやむやにしてしまおうという気持ちが薄《うす》れてしまった。亜里沙は少しばかり逡《しゅんじゅん》巡した後、かぶりを振って否定する。

「どうして読まないんだい？」

畳み掛けるようにして、貴明がそう訊《き》いてきた。亜里沙は俯《うつむ》き、「だって——」と、気弱に言葉を紡《つむ》いでいく。

だって。

あの手紙には、どうせフェンシングのことしか書かれていない。

そして。

そのことは、もはや自分にとって重荷にしかならない。

だから。

どうしたって、読もうという気持ちにはなれない。

あんな手紙、受け取りたくはなかったんだ。

もう、終わりにしたかったんだ……。

そういった胸の内を、亜里沙は訥々《とつとつ》と語る。

亜里沙の話を神妙な面持ちで聞いていた貴明は、やがて納得がいったというふうに一つうなずいたものの、少しばかり教師然とした口調《くちょう》でこう告げた。

「亜里沙ちゃんの考えはよくわかったよ。だけど——やはりその手紙、読んでみるべきだと私は思う。せっかく想いを綴ったというのに、目を通してさえもらえないなんて、悲しいじゃないか、あまりにも。それに、本当にフェンシングのことばかりが書かれてるとも限らないだろう？　君にどうしても伝えたい何かしらの想いがあって、ジルさんは手紙を残したのかもしれない」

「そんなこと、あるはずないわ！」

考えるよりも先に、感情的な反発が言葉となって飛び出した。亜里沙《アリサ》はハッと我《われ》に返り、決まりの悪い気持ちでその場で俯《うつむ》くが、心の中では苦々しい感情がしこりとなって残る。

そんなこと、あるはずない。

そんなこと、あるはずがないんだ。

貴明《たかあき》は父さんのことをよく知らないからそんなことを言えるんだ。父さんは本当に、フェンシング一筋で生きてきた人だった。フェンシングに一生を捧《ささ》げていた。

家族のことなんて。

私のことなんて。

フェンシングの前では、どうせ、朧《おぼろ》に霞《かす》んでしまうんだ——。

苛立《いらだ》ちが募った。なぜここまで腹立たしいのか、自分でもよくわからない正体不明の感情に、心がどうしようもなくささくれ立つ。ただ一つはっきりしているのは、貴明に勧められても、なかなか手紙を読む気にはなれないということ。それだけだ。

亜里沙が俯いたまま押《お》し黙《だま》っていると、貴明がやおら声をかけてきた。

「——それじゃあこうしよう。封筒越しでいいから、とりあえず中の文面を少しだけ覗《のぞ》き見てみるんだ。それでもしフェンシングのことが書き綴《か》《つづ》られているだけのようだったら、そのまま封を開けずに、戸棚の奥にしまうなり何なりすればいい」

「えっ？」

顔を上げた亜里沙に対し、貴明は「どうだい？」と、優《やさ》しい眼差《まなざ》しで詰め寄ってくる。刺々《とげとげ》しい感情は、貴明に見つめられた瞬間《しゅんかん》に一気に薄《うす》れていった。代わりにドギマギとした思いに身体《からだ》が支配され、亜里沙はタジタジになってしまう。

「で、でも、あの封筒ってけっこう厚いから、光に透かしたぐらいじゃ文面まで読めないわよ？一度やってみたけど、中の便箋《びんせん》の形が浮かび上がるだけだったし……」

何とかそう反論《はんろん》してみたが、貴明は意に介したふうもない。それどころか、ショーの最中に見せるような自信に満ちた笑《え》みを口許《くちもと》に閃《ひらめ》かせると、椅子《いす》から立ち上がって部屋の隅にある鏡台《きょうだい》の方へと足を向ける。

しばらくして机へと戻ってきた貴明の手の中には、メイク落としの紙《シート》と、手に吹き付けるプッシュ式の消毒液の容器、そしてファンレターが入っていると思《おぼ》しき封筒が握られていた。

貴明は椅子に腰掛けると、おもむろにメイク落としの紙を小さく丸め出す。そしてそれを掌《てのひら》に隠すようにして持つと、独白するように呟《つぶや》いた。

「……本来は脱脂綿を使うんだ。あれなら隠し持つことが容易だし、保水性も充分あるから」

貴明は今度は消毒液の入った容器を手に取った。ノズルを押して手に吹きかけているフリをしながら、消毒液でメイク落としの紙を充分に濡《ぬ》らしていく。

それで準備は全《すべ》て整《ととの》ったらしい。貴明は最後にファンレターを掴《つか》むと、紙を隠し持っている方の手で、そのファンレターの表面をサッと一撫《ひとな》でする。そしてすぐさま、亜里沙の方にファンレターを差し出し、口の端を上げて言った。

「初級の透視マジックさ。その封筒、光にかざしてごらん」

亜里沙《アリサ》は言われた通り、その封筒を部屋の蛍光灯にかざしてみた。メイク落としの紙に吸わせた消毒液のせいだろう。貴明《たかあき》が撫《な》でた部分は濡《ぬ》れており、中身がハッキリと透けて見える。

「単純だが、よくできたマジックさ。消毒液に使われているアルコールは揮発性が高いから、濡れた部分もすぐさま乾く。そうやって中身を覗《のぞ》き見た後、他《ほか》の人に封筒を調《しら》べさせても、細工をした跡はきれいさっぱり消え去っているというわけだ」

貴明の言う通り、亜里沙の見ている目の前で封筒はすぐさま乾いていき、中の文面も見えなくなっていく。一分も掛からないうちに封筒は乾き切り、濡れていた痕跡《こんせき》すら残らなかった。

「ほらね？　そうすれば、封を開けることもなく中身が読める」

そう告げられて、亜里沙はむうっと眉根《まゆね》を寄せると、封筒を睨《にら》みつけたまま呟《つぶや》く。

「……やり方はわかったけど、これ、何だかズルしてるみたいで嫌《いや》ね」

その言葉に、貴明がハハッと笑った。

「亜里沙ちゃんらしい感想だね。そうさ。それは明らかなズルだ。でも——時にはズルも必要だと、私は思う」

語尾が急に寂しげなものに変化した。亜里沙は驚《おどろ》き、慌てて貴明の方へと顔を振る。貴明は机に視線《しせん》を落としていたが、その目はどこか遠くを見つめているような茫漠《ぼうばく》としたものだ。

亜里沙が心配して眉《まゆ》をひそめていると、貴明は誰《だれ》に言うともなく呟く。

「——私は弱い人間だから。あそこに書かれた、たった一言の想《おも》いに応《こた》えるには、普段《ふだん》通りに振《ふ》る舞《ま》うしかなかったんだ。本心を言ってしまえば、あいつはきっと、安心して逝《い》けやしなかったろうから……」

貴明が何のことを話しているのか、亜里沙にはわからない。ただ、彼がいま誰のことを考えているのかは、チクリとした胸の痛みと共に理解できた。

亜里沙は椅子《いす》から静かに立ち上がると、貴明に向かって黙《だま》って一礼し、退室するために踵《きびす》を返す。

人前で泣けないということが、本当に弱さの現れなのか、亜里沙にはわからない。はっきりしないことばかりで、歯痒《はがゆ》い思いをしてばかりだけれど、それでも、誰かのことを想って流す涙は、きっと尊いものなのだろうと思う。

ドアを閉める寸前、控え室の中から、押し殺した嗚咽《おえつ》が漏れ出してきた。そっとドアを閉めた亜里沙は、胸元に手を押し当てる。

そして——。

神様を信じない、不器用なマジシャンに代わって。

貴明と典子《のりこ》を巡り合わせてくださった神様に、静かに感謝《かんしゃ》の祈りを捧《ささ》げた。

❧ ❧ ❧

『自業自得』という言葉の意味を答えなさい、というテスト問題が出たなら、「自分がいま置かれている状況」と書けば満点がもらえるのではないかと思う。

湊《みなと》に頬《ほお》を張られたあの日以来、部活に出ても誰《だれ》も亜里沙《アリサ》に話しかけてこなくなった。まぁ見事なシカトである。そういうことを一番嫌いそうな湊でさえ、何だか心配そうな顔を時折見せるだけで、声をかけてこようとはしない。亜里沙の言動を腹に据えかねた部員の誰かが、亜里沙の方から謝《あやま》ってくるまで皆で無視する、という鉄の掟《おきて》を提唱し、湊までも巻き込んだらしい。

女の結束、侮り難《がた》しといったところか。

(……やることが子供よね)

そうは思うのだが、こんな状況に陥っても、湊に弱みを見せたくない一心で部活に出続けているのだから、他人のことは言えない。いや、それどころか、非は自分にあると理解しつつも、なかなか素直に謝れないでいるのだから、どちらがより子供なのかは明白である。

そんなわけで、フェンシング大会の当日となっても、亜里沙は皆の輪《わ》に入れないでいた。試合に臨《のぞ》んでいる他《ほか》の部員を応援したいという気持ちはあるのだが、何となく気兼ねして、体育《たいいく》館《かん》の外縁《がいえん》にある階段の踊り場で、独りでぼんやりと空を眺め続けている。

体育館の中からは、時折ワアアッという歓声が聞こえてくる。午前中の団体戦が終わり、今は個人戦が行われているのだ。亜里沙もつい先程、個人戦の準々決勝を戦い、辛くも勝利を収めたところである。そして次に当たるのは、今回のことで因縁《いんねん》の相手となった、帝蘭《ていらん》女学園の一年生部員——森由紀子《もりゆきこ》、その人である。

手摺《てす》りに頬杖《ほおづえ》をついたまま、亜里沙はぼんやりと思う。

(……まさか準決まで残ってくるなんてね。さすが団体戦優勝《ゆうしょう》のメンバーといったところかしら)

午前中に行われた団体戦は、帝蘭の連覇《れんぱ》という形で幕を閉じた。新メンバーである由紀子の頑張りも賞賛《しょうさん》に値するものだったが、圧巻だったのはやはり湊であろう。

亜里沙の名前が帝蘭の団体戦メンバーの中に入っていないことを知って、他校生たちが「これならいけるかも」という思いを抱いていたであろうことは、何となく肌で感じられた。しかしそういった淡い期待を一蹴《いっしゅう》してのけたのは、他校生から〝無傷の女帝〟として恐れられている、浜口《はまぐち》湊である。

湊は亜里沙の名前がメンバーから消えることで、ライバル校が勢い付くであろうことを予期していたらしい。その出鼻をくじくために、普段《ふだん》とは違い、一番手として全《すべ》ての試合に臨んだ。『鬼神の如《ごと》し』とはまさに、湊が見せたああいった戦いを表現するに相応《ふさわ》しい言葉であろう。

いつもの湊ならば、相手の力量がどうであれ、礼儀《れいぎ》とばかりに何合か打ち合ってみせる。しかし、今回の団体戦に限っては違った。まるで小さな獲物《えもの》を狩るのにも全力を尽くす猛獣《もうじゆう》のように、対戦相手を全身全霊《ぜんしんぜんれい》で叩《たた》き伏せていった。試合開始の合図から二分もった相手が、果たしていたかどうか、といった勇猛さである。

そんな化け物じみた戦いを目の当《ま》たりにすれば、対戦校が意気消沈するのも道理だ。結局、帝蘭《ていらん》は危なげもなく優勝《ゆうしよう》を収め、由紀子《ゆきこ》もその勢いのままに個人戦を勝ち上がってきた、という状況である。

(……由紀子って、自信つけさせると手に負えなくなるタイプだったのか。いま当たるの、正直ヤだな。負けたらどうしよう)

そんなことを一応考えはするのだが、あまり焦燥感《しようそうかん》は湧《わ》いてこない。フェンシングに対する情熱《じようねつ》といったものが、急激《きゆうげき》に冷えてきているのを感じる。

風に流される雲をぼんやりと見つめながら、ほうと深く溜息《ためいき》をついた時だ。不意に背後から声をかけられた。

「試合、まだあるんでしょう？　そんなに気が抜けた状態で勝ち進めるの？」

ドキッとして、慌てて後ろを振り返る。するとそこには、いつの間に現れたのか、シゴフミを届けてくれたあの不思議《ふしぎ》な少女、文伽《フミカ》の姿があった。亜里沙《アリサ》は鼓動の速くなった胸元に手を当てつつも、何とか言葉を発する。

「——お、脅かさないでよ。家に忍び込んでた時といい、もう少し普通に登場できないわけ？」

非難《ひなん》がましいその科白《せりふ》に、しかし文伽は動じたふうもない。それどころか、

「近付いても気付く気配《けはい》が全くないから、仕方なく声をかけたのよ。非難される謂《いわ》れはないわ」

と、手痛く反撃《はんげき》してくる。

亜里沙が苦虫を噛《か》み潰《つぶ》したような顔をしていると、文伽は無言で隣《となり》にやってきて、先ほど亜里沙がしていたように空を見上げる。その横顔はやはりハッとするほど端正だ。着ている服装とも相俟《あいま》ってか、彼女を見ていると、まるで映画の一シーンを眺めているような気分にさせられる。

（……って、何で同性の、しかもこんな正体不明な奴《やつ》に見惚《みと》れてなきゃならないのよ）

苦虫をさらに数匹ほど噛み潰したような顔になった亜里沙は、ぶっきらぼうに声をかけた。

「それで？　私に何か用？」

しかしその問いかけに対しては、文伽は黙《だま》ったまま返答してこない。亜里沙が眉宇《びう》をひそめていると、文伽の手にあるマヤマが、こほんと空咳《からぜき》をしてから言葉を紡《つむ》いだ。

『文伽はさ、亜里沙さんがお父さんからの手紙を読んだかどうかが気になって気になって仕方ないんだって。意外に思うかもしれないけど、文伽って世話焼きなとこが――ゴメン。もう余計なこと言わないから僕を握る手に力込めないで。地味に痛いから止《や》めて』

マヤマのその話を聞いた亜里沙は、軽く目を見開き、まじまじと文伽を見つめた。初対面の時から、冷ややかで何を考えているかわからない奴という印象を文伽に対して抱いていたのだ

が、実はそうでもないのだろうか？

　当の文伽《フミカ》はというと、涼しい顔をしたまま帽子を被《かぶ》り直している。これまでならその動作は単に帽子の位置を正しているだけと受け取ったろうが、今なら何だか照れ隠しをしているふうに見えなくもない。

　文伽が横目で亜里沙《アリサ》の方を窺《うかが》ってきた。言葉こそ出てこないが、「それで手紙は？」と訊《たず》ねられたように思えた。亜里沙は何だか調子《ちょうし》が狂ってしまって、

「えと……まだ読んでないのよね、実は」

と素直に答え、足元に置いている、手紙の入ったスポーツバッグに視線《しせん》を落とす。

　貴明《たかあき》のアドバイスは無下《むげ》にできないが、かといって性格上、ズルをして中身を覗《のぞ》き見るようなこともしたくない。思い悩んだ結果、手紙はとりあえずきちんと読む、という結論《けつろん》に至りはした。至りはしたのだが――いつ読むか、ということに関しては、まだはっきりとした答えは出ていない。いつでも読めるように持ち歩き、腹の決まった時に目を通そう、なんていう消極的な考えのもとに行動しているのが現状である。

　亜里沙の答えを聞いた文伽は、僅《わず》かに首を傾け、口を開いた。

「父親からの手紙に目を通すこと、まだ恐れているのね。変わってるわ、あなた。小さな子供でもないのに、いったい何に怯《おび》えているの？」

「そんなの――」

あなたには関係ないじゃない。放っておいてよ。

そう反論《はんろん》しようとした亜里沙だが、ぐっと言葉を飲み込んだ。文伽が湛《たた》えている眼差《まなざ》しが、何だかとても寂しげなものに見えたのだ。

（……何よ。これじゃまるで私が全部悪いみたいじゃない）

振り上げた拳《こぶし》が行き場所を失ったような、宙ぶらりんな感覚。

亜里沙は文伽から目を逸《そ》らすと、ふてくされたように言う。

「大丈夫よ。ちゃんと読むから。いつになるかは、まあ、わからないけど……」

だが、この返答にはマヤマがすぐさま異を唱えた。

『ねぇ亜里沙さん。そんな曖昧《あいまい》な答えじゃ、文伽は絶っっっ対に納得しないよ？　これから頻《ひん》繁《ばん》に訪ねられても迷惑でしょ？　僕もスケジュール管理が難《むずか》しくなるし、そうなるのだけは嫌《いや》なんだ。せめてすぐに手紙を読まない理由だけでも教えてくれないかな？』

どうしてそんなことまで、とは思ったが、確《たし》かにマヤマの言葉にも一理ある。文伽のような神出鬼没な人物に付け回されるのは願《ねが》い下げだ。

（……まったく。面倒臭《めんどうくさ》い配達人よね）

そんなことを考えるが、それほど嫌な気分にはならなかった。その理由にも思い至っている亜里沙は、何となく面映《おもはゆ》い気持ちになる。

……嬉《うれ》しかったのだ。少しだけ。

自分のことを気にかけてくれる文伽《フミカ》の優《やさ》しさが、どことなくくすぐったく、暖かかったのだ。口許《くちもと》が自然と緩《ゆる》むのを自覚した亜里沙《アリサ》は、慌てて手《て》摺《す》りに頬杖《ほおづえ》をつき直し、口許を隠す。そして、ことさら素っ気なく、マヤマの先の問いかけに答えるために口を開いた。

「……あの手紙に書かれてること、だいたい見当ついてるのよ。父さんが私に伝えたがってることといえば、どうせフェンシングに関するアドバイスばかり。でも、私はもう昔ほどフェンシングに夢中になれない。いまさらそんなアドバイスを伝えられたところで、重荷にしかなりはしないの」

『ああ、なるほど。それで読む気になれないんだ』

「そういうことよ。どう？　これで満足した？」

亜里沙は文伽に向け、そう声をかけた。すると文伽は得心がいったように小さくうなずき、いつもの平坦な口調《くちょう》で告げる。

「——あなたが手紙を読むのを恐れていた理由、これでやっとわかったわ」

ああそう。それはよかったわね。亜里沙がそう返そうとした時、文伽が先んじて続けた。

「あなたが恐れていたのは、手紙の中身がフェンシング一色で塗《ぬ》り潰《つぶ》されていることだったのね。父親のことを愛していたのに、その父親から届けられた手紙には、娘である自分のことが一切綴《つづ》られていないかもしれない。そんな思考に囚《とら》われて怯《おび》え続けていたのね。自分は愛されていなかったんじゃないかと思うと、恐くて手紙を読めなかったんだわ」

その言葉はまるで物理的な力を有するように、亜里沙の脳を強く揺さぶった。亜里沙は思わず絶句するが、しかしすぐさま、条件反射にも似た反発が喉《のど》を駆け上がってくる。

亜里沙は咄嗟《とっさ》に叫んだ。

「――バカなこと言わないで！　そんなことあるはずないじゃない!!」

父さんを愛し、慕っていたのは、かつての話。

薄《うす》れ霞《かす》んでやがては消える、記憶《きおく》の中だけの話だ。

今更そんな想《おも》いに振り回されるなんて、ある筈《はず》もないこと――。

しかし、そういった亜里沙の思考をバッサリと切り捨てるように、文伽は平然と告げる。

「家族愛は動物の持つ原始的な本能よ。必死になって目を逸《そ》らさなければならないほど、恥ずかしいものでも何でもないわ」

そして彼女は、悲しげな色を僅《わず》かに滲《にじ》ませた瞳《ひとみ》で、諭《さと》すように付け加えた。

「――ましてや、憎しみに置き換える必要なんて、どこにもありはしないのよ?」

瞬間《しゅんかん》、亜里沙の中で猛《たけ》っていた反発心が、嘘《うそ》のようにしぼんでいった。そのことに亜里沙は戸惑い、文伽の眼差《まなざ》しから逃れるように、足元へと視線《しせん》を落とす。そこには、父さんからのシゴフミが入っている、スポーツバッグが置いてある。

自身の感情を捉《とら》え切れないような、何とも言えない感覚の中、亜里沙はふと考えた。

――文伽の言葉を全否定することが、果たして自分にできるのだろうか?

フェンシングから目を逸《そ》らしたいと思ったことは、これまで何度もあった。どんなに頑張ってもなかなか上達しなくて、逃げ出したいと思ったことはままあるから。

それでも結局、自分はフェンシングを続けている。父さんが死んでしまい、目標を失った今も、それは変わらない。手紙を読まない理由が、フェンシングから目を逸らすためだなんて、確《たし》かにいまさらと言えばいまさらだ。

――それでは一体、自分は何から目を逸らしたいのだろうか。何から逃げ出しているのだろうか。

そう考えた時に、ふと脳裏を過《よ》ぎったのは、父さんのあの眼差《まなざ》しだった。憐《あわ》れみ、失望しているような、父さんのあの眼差しだった。

ああ、と亜里沙《アリサ》は声を洩《も》らす。

そうか。

そうだったんだ。

文伽《フミカ》の言ったことは正しい。自分が恐れ、逃げ出してしまいたかったのは、父さんのあの眼差しからだ。死しても尚《なお》、あの眼差しで見つめられることが、どうしようもなく恐ろしかったんだ。

――なぜなら、あの眼差しからは、愛情を汲《く》み取ることができないから……。

亜里沙の中で何か吹っ切れるものがあった。亜里沙はその場にしゃがみ込み、足元に置いていたスポーツバッグの中身を探り始める。

人は誰《だれ》しも臆病《おくびよう》だが、愚かではない。恐れていたものの正体がハッキリしたなら、立ち向かう勇気を振り絞る瞬間《しゆんかん》を、自《みずか》ら決断することもできる。

亜里沙はスポーツバッグの中に入れていたシゴフミを取り出すと、一つ大きく深呼吸した。

隣《となり》に佇《たたず》んだままの文伽を仰ぎ見ると、彼女はいつもの抑揚を欠いた、しかしどこか優《やさ》しげな声《こわ》音《ね》で言う。

「傍《そば》にいられるのが気になるなら、私は席を外すけど?」

その言葉に反射的にかぶりを振った亜里沙は、そのまま視線《しせん》を泳がせ、つい今しがた口をついて出そうになった科白《せりふ》を言うべきかどうか、真剣に悩む。

亜里沙のその様子《ようす》を怪訝《けげん》に思ったのか、「どうかしたの?」と文伽が訊《たず》ねてきた。亜里沙はさんざ迷った挙句、てんで違った方向を見やったまま、ぼそぼそと告げる。

「手紙を読み終わるまで、このまま傍にいて。その方が……こ、心強いから」

言ってしまった後、むちゃくちゃ恥ずかしくなった。カアッと顔面が紅潮《こうちよう》していくのが自分でもわかる。

(……ああ、なに言ってんだろ、私)

そう頭を抱えてしまう部分はあるのだが、誰かに傍にいてもらいたいというのも本心である。だって、手紙を持つ手は、先ほどから小刻みに震《ふる》えている。中身に目を通すことを、自分はこんなにも恐れている。

文伽《フミカ》からどんな反応が返ってくるか不安に思いつつ、亜里沙《アリサ》はそっと彼女の方を窺《うかが》った。すると文伽は、口の端を僅《わず》かに上げた、少しばかり悪戯《いたずら》っぽい笑《え》みを披露《ひろう》して、冗談《じょうだん》めかしてこう告げる。

「――お望みなら、手を繋《つな》いであげるけど？」

その瞬間《しゅんかん》、気持ちがフッと軽くなったような気がした。手の震《ふる》えが静まり、口許《くちもと》には自然と笑みが浮かんでくる。

（……大した配達人よね、まったく）

亜里沙は心の中でそう呟《つぶや》くと、手にしていたシゴフミを読むべく、その封をビリビリと破く。

封筒の中には、一枚の便箋《びんせん》が入っていた。そこにびっしりと並んでいる文字は、間違いなく父さんによる筆跡だ。亜里沙は一つ息を吐くと、意を決して目を通す。

最初こそ不安による動悸《どうき》が激《はげ》しく、呼吸もままならない状態が続いていたが、手紙を読み進めるごとにそれも静まっていった。強張《こわば》っていた亜里沙の表情はやがて驚《おどろ》きを表すものへと変化していき、しばらくするとその口許から、アハッと明るい笑みが零《こぼ》れ落ちる。それと同時に溢《あふ》れ出てきたのは、暖かく頬《ほお》を伝う、一筋の涙だった。

手紙を読み終えてからも、亜里沙はクックッと堪《こら》えきれない笑い声を洩《も》らし続け、目尻《めじり》に浮かぶ涙を指で拭《ぬぐ》っていく。すると、

『ねぇ亜里沙さん。その手紙、そんなに面白《おもしろ》いことが書いてあるの？　僕も読んでいい？』

興味津々《きょうみしんしん》といった体《てい》で、マヤマがそう訊《たず》ねてきた。

亜里沙がその問いかけに答えようとした時だ。ブツッというノイズの後に、館内放送《かんないほうそう》で準決勝が開始されることが告げられる。

「――あっ、いけない！　私の番だ！」

亜里沙は弾《はじ》かれたように立ち上がると、急いで館内に戻ろうとした。しかし、手の中にあるシゴフミと、地面に置かれているままのスポーツバッグの存在にはたと思い至り、ぴたりと動きを止める。

亜里沙は文伽の方にくるりと向き直ると、その手に無理矢理《むりやり》シゴフミを握らせて、

「――文伽、悪いけど私の荷物を見ていて」

そう一方的に告げると、答えも聞かずに階段を駆け下りる。

館内へと繋《つな》がる非常口のドアに手をかけた亜里沙は、そこで背後を振り返ってみた。すると、階段の踊り場で、少しばかり呆《あき》れたような表情を浮かべている文伽と目が合う。

亜里沙は、今度は躊躇《ためら》うことも、恥ずかしがることもなく、口にしたかったその言葉を素直に告げた。

「父さんからの手紙を届けてくれて、本当にありがとう。文伽、あなたは最高の配達人よ」

誉《ほ》められることに慣《な》れていないのだろうか？　文伽は一瞬きょとんとした顔を見せた後、慌

てたように帽子を目深に被《かぶ》り、そのまま押《お》し黙《だま》ってしまう。亜里沙《アリサ》は明るく笑うと、非常口のドアを開け、館内《かんない》へと足を踏み入れた。

☙ ☙ ☙

由紀子《ゆきこ》は調子《ちょうし》付かせると恐《こわ》いタイプだ、という認識《にんしき》は先にしていたが、これほどまでとは思わなかった。技のキレや判断能力が格段に良くなっていて、部活の時とはまるで別人だ。日頃《ひごろ》から子犬のように湊《みなと》を追いかけ回していた由紀子だが、単に追いかけ回していただけではなく、きちんと目で学んでいたらしい。彼女の戦い方は湊のそれに時折ダブり、戦慄《せんりつ》させられる。まったく、末恐ろしい後輩《こうはい》を持ったものである。

でもね、と亜里沙は思うのだ。

(——調子付かせて恐いのは、私も同じなのよ?)

亜里沙の剣先は一瞬《いっしゅん》たりとも止まらない。見惚《みと》れるほどの迅速さで、正確無比《せいかくむひ》な複合攻撃《アタック・コンポゼ》。由紀子も必死に食らいつき、反撃《はんげき》してくるのだが、本人が一番よくわかっているだろう。

——勝てはしない。

手紙を読んでいなければ、あるいは結果は変わっていたかもしれない。勢い付いた由紀子の前に、後悔の残る惨《みじ》めな敗北を喫していたかもしれない。しかし、あの手紙が全《すべ》てを変えた。

父さんからのシゴフミが、亜里沙に力を与えてくれた。

極限まで研《と》ぎ澄《す》まされた感覚の中で、亜里沙はマスク越しの由紀子の表情を見た。悔し涙だろうか。彼女の目許《めもと》には光るものが見て取れる。

——あぁ、この娘《こ》はまだまだ強くなるな。

亜里沙は何だか嬉《うれ》しくなった。彼女のような一途《いちず》な人間と競《きそ》い合い、高め合えるからこそ、フェンシングは面白《おもしろ》い。

そう。

フェンシングは面白いのだ。これ以上になく楽しいのだ。だからこそ自分はフェンシングを続けているのだということに、あの手紙は気付かせてくれた。

由紀子が間合いを遠間にとった。彼女が最も得意とする「飛び込み突き《フレッシュ》」に勝負をかけようというのだろう。その狙《ねら》いを知った上で、亜里沙は誘いをかけるため、構《アン・ガルド》えに戻る動作を一瞬だけ遅らせる。

瞬間、由紀子が鋭《するど》く踏み込んできた。それはこれ以上ないタイミングであり、剣先はまさしく閃光《せんこう》の速さで伸びてきた。予測していても避けられるかどうかの、まさしく乾坤一擲《けんこんいってき》の一撃。

それでも——

（……ごめん、由紀子。私は先に行くよ）

どうしても、戦いたい相手がいるから。

どうしても、負けたくない相手がいるから。

私は、あなたの努力と、その悔し涙を踏み越えて——この先へ、行くよ。

由紀子《ゆきこ》の眼が驚愕《きょうがく》に見開かれる瞬間《しゅんかん》を、亜里沙《アリサ》は確《たし》かに目にした。その一瞬は少し後ろめたく、そしてどこか甘美だ。

流《ル》し《・》て《ク》下突《レ》。

父さんと一緒《いっしょ》に、何千回、何万回と繰《く》り返してきたその動作で、全《すべ》ての幕は閉じた。


終わりの礼を済ませた亜里沙は、マスクを外すとすぐさま由紀子に駆け寄った。由紀子は悔し涙を見られたくないのか、マスクをしたままフイッと顔を逸《そ》らし、

「……何か用ですか？」

と、可愛《かわい》げのない声を洩《も》らす。どうやらまだ部活でのことを怒っているらしいが、その怒り方が子供っぽくて何だか可笑《おか》しい。

亜里沙は口許《くちもと》に微《かす》かな笑《え》みを刷《は》いたまま、まずは由紀子の健闘《けんとう》を称《たた》える。

「すごいじゃない由紀子。正直なところ、あそこまで力をつけてるとは思わなかったわ。特に最後の飛び込み突き《フレッシュ》はすごくよかった。あのタイミングとスピードで出されたら、私だってそうそう避けられないわ」

そんな言葉をかけられるとは思っていなかったのだろう。由紀子は勢いよく向き直り、亜里

沙をまじまじと見つめる。

亜里沙はニッコリと微笑《ほほえ》んでみせると、これまで言えなかったその言葉を素直に紡《つむ》いだ。

「由紀子、この前は酷《ひど》いこと言ってゴメンね？　色々あったから少し苛立《いらだ》ってたのよ。私のこと、許してくれる？」

マスク越しでもわかった。由紀子は鳩《はと》が豆鉄砲を食ったような表情を浮かべると、目をぱちくりさせる。あまりに大きく目を見開いたためか、先の悔し涙も乾いてしまったようだった。

（……そんなに意外なこと言ったかしら？）

まぁ確《たし》かに酷いことを言った意地悪な先輩《せんぱい》は自分なわけだが、ここまで露骨《ろこつ》に驚《おどろ》かれるのは心外である。むぅ、と眉《まゆ》を寄せていると、由紀子がはたと我《われ》に返った。彼女はどう応じるべきか迷うように、しばらく黙考《もっこう》していたが、やがて口を開く。

「えっと……私はもう気にしてませんから、大丈夫です。ただ――」

「ただ、何？」

亜里沙が怪訝《けげん》に問いかけると、むしろこちらが大問題なんですとばかりに、由紀子は強い眼《まな》差《ざ》しで言う。

「湊《みなと》先輩、亜里沙先輩の頰《ほお》を叩《たた》いたこと、ずーっと気に病んでるんです。ですから、亜里沙先輩の方から、もう気にしてないってことを伝えて、きちんと仲直りしてください。お願《ねが》いします」

ぺこり、と頭まで下げられた。亜里沙《アリサ》は呆《あき》れて声も出ない。

（……自分のことよりまずは湊《みなと》、か）

まったく。湊もえらいのに気に入られたもんである。

「あー、うん。わかったわかった。その辺のこともちゃんとフォローしておくから、由紀子《ゆきこ》は
そんなことまで心配しなくていいわよ」

顔を上げた由紀子は、やっとこさマスクを外し、愛嬌《あいきょう》のある明るい笑顔《えがお》を浮かべた。そして、

「亜里沙先輩《せんぱい》、決勝がんばってください」と、声援を送ってくれる。

少し意地悪をしたくなった亜里沙は、うっすらとした笑《え》みを口許《くちもと》に湛《たた》え、訊《たず》ねた。

「ねえ由紀子。私と湊、どっちが勝つと思う？」

「えっ？　あ、それは……わ、わからないですけど、先輩どうしの試合なんですから、もちろ
んどちらも応援します、ハイ」

由紀子はきゅっと両拳《りょうこぶし》を握《にぎ》り締《し》め、コクコクと何度もうなずきながらそう告げる。その様《よう》
子《す》が可笑《おか》しくて、亜里沙はくすりと笑った。

（……下手《へた》な嘘《うそ》ついちゃって。湊が勝つこと、微塵《みじん》も疑ってないくせに）

それは由紀子だけでなく、この会場に居合わせた全《すべ》ての者に言えることだろう。湊の優勝《ゆうしょう》は
揺るがないと、まるで宿命づけられたもののように信じているはずだ。

けれど。

「――私は負けないよ」

亜里沙のその呟《つぶや》きに、由紀子は「えっ?」と声を上げた。亜里沙は自分自身に言い聞かせるように、静かに、しかし力強く、決意を述べる。

「湊は尊敬すべき選手《せんしゅ》だけど、憧《あこが》れの対象なんかじゃない。倒すべきライバルよ。だから、私は負けない。絶対に勝つ」

だから、見ていてね、父さん。

――あのいつもの眼差しで、私のことを見守っていてね?

目の前にいる由紀子が、気を飲まれたように呆然《ぼうぜん》と立ち尽くしている。少しばかり気合いが入り過ぎたかなと思ったが、これから決勝に臨《のぞ》むのだ。冷却させる必要もないだろう。

亜里沙は不敵な笑みを閃《ひらめ》かせると、由紀子に向かって毅然《きぜん》と告げた。

「悪いけど、湊のカッコイイとこ、見られないかもしれないわよ?」

そしてそのままくるりと踵《きびす》を返すと、同じくに決着している隣《となり》の試合場で、こちらの様子を窺《うかが》っていた湊の方へと足を向ける。約束は約束だし、気持ち良く決勝に臨むためにも、まずは湊と和解しよう、とそう考えたのだ。

――幻聴《げんちょう》、だろうか?

背後から、どこまでもミーハーな由紀子の、熱《ねつ》に浮かされたような呟きが聞こえたような気がした。

「………亜里沙《アリサ》先輩《せんぱい》、カッコイイ♡」

❧ ❧ ❧

非常口のドアに寄り掛かって、文伽《フミカ》は亜里沙の様子《ようす》を泰然と眺めている。そのすぐ隣《となり》に立てかけられているマヤマは、うーんと一つ唸《うな》った後、文伽に話しかけた。

『亜里沙さん、雰囲気がガラッと変わったね。何だか吹っ切れたみたいだ』

すると文伽は、視線《しせん》を亜里沙の方へと向けたまま、いつもの淡々とした声で応じる。

「そうね。フェンシングをしている時の姿も、何だか楽しそうだったわ。以前に練習風景を見た時は、とても苦しそうにしていたのに」

『やっぱり、シゴフミのおかげなのかな?』

「ええ。そうでしょうね」

『………………』

「………………」

どこかお互いに牽制《けんせい》し合うような、少しばかり異質な沈黙《ちんもく》が流れた。文伽から先に何か言ってこないかなと期待したが、彼女は表情一つ動かさず、静かな眼差《まなざ》しを亜里沙へと送り続けるのみだ。

我慢しきれなくなったマヤマは、気になって気になってしょうがなかったことを、とうとう口にした。

『……ねえ文伽《フミカ》。あのシゴフミには、いったいどんなことが書いてあったのかな?』

するとその言葉を待っていたとばかりに、文伽は先ほど手渡された、亜里沙《アリサ》宛《あ》てのシゴフミを鞄《かばん》から取り出す。

文伽は、ボソリと言った。

「……マヤマが気になるなら、この手紙、今この場で読んであげるけど?」

マヤマはとんでもなく狼狽《ろうばい》し、慌てて声を張り上げる。

『ち、ちょっと待ってよ! 僕、そんなこと一言も言ってないじゃないか! だいたい、〝マヤマが気になるなら〟って、その言い方はズルくない!? 何さりげなく僕に責任を押し付けようとしているの!?』

「でも、マヤマはこの中身、気になっているんでしょう?」

『いや、まあ、気にはなるけど――って、だから勝手に開けちゃダメだって! プライバシーは守らなきゃ!!』

ここで初めてマヤマの方に顔を向けた文伽は、臆面《おくめん》もなくこう仰《おつしや》った。

「大丈夫よ。彼女、私に言ったもの。荷物を見ていてって。その言葉通り、荷物に目を通すだけよ」

『……あのね文伽。わかって言ってるとは思うけど、そういう意味じゃないからね?』

文伽は口を閉ざすと、今度は何を言うでもなく、じっとマヤマを見つめてくる。そのプレッシャーたるや生半なものではなく、マヤマはタジタジになった。

やがてマヤマは嘆息し、根負けしたように言う。

『……でも、まあ、日本語って難《むずか》しいからね。亜里沙さんってハーフだし、上手《うま》く使えていないのかもね』

その言葉を聞いた文伽は、共犯者を褒《ほ》め称《たた》えるような、小悪魔的《こあくまてき》な笑《え》みを一瞬《いっしゅん》だけ見せた。

そして、嬉々《きき》として、と表現してもいい程のテキパキとした動作で、封筒から便箋《びんせん》を抜き出して広げる。

が、すぐさま眉間《みけん》に皺《しわ》を寄せた文伽は、便箋をマヤマの前に持っていき、言った。

「マヤマ、読んで」

『えぇっ⁉ ちょっと、実行犯まで僕にする気⁉ それって酷《ひど》くない⁉』

「いいから読んで」

『いやそこまで僕はお人好《ひとよ》しじゃ――って、何だ。中身、フランス語で書かれてるんだね。……あれぇ? 文伽、もしかしてフランス語、読めないのぉ?』

露骨《ろこつ》に顔をしかめる文伽を見て、マヤマは得意になる。他人の手紙を読むことの罪悪感よりも、文伽に対する優越感《ゆうえつかん》が勝って、どれどれと手紙を読み始めた。

『亜里沙《アリサ》も知っての通り、私は自分の気持ちを言葉として表現することが苦手な人間だ。言葉の不在が時に決定的な誤解を生むと理解しつつも、これまでそんな不器用な生き方を続けてきた。

私の死は、ある種の天罰なのではないだろうかと、今になって思う。気持ちを内に秘めることで、周りの人間を不安に陥れ、不快な気分にもさせ続けたろう。その天罰がとうとう私に下ったのではないかと、そう思うのだ。

しかし、神はやはり慈悲深かった。この世から旅立つ前に、最愛の者に手紙を残すことを許された。私はこの機会《きかい》を大切にしようと思う。これまで言えなかった言葉を、私はここに綴《つづ》ろう。

私は亜里沙の将来については、それほど不安を抱いてはいない。亜里沙は私よりも断然しっかりしていて、芯《しん》も強い。不安に思うことや辛《つら》いと感じることはこれから数多くあるだろうが、それでも亜里沙なら立ち向かっていけることと、私はそう信じる。だが、たった一つだけ、どうしても気掛かりなことがある。それは、亜里沙が続けているフェンシングのことだ。

亜里沙が私を勇気づけるためにフェンシングを習い始めたということは、以前に母から伝え聞いていた。私は亜里沙のその気持ちがとても嬉《うれ》しかったし、亜里沙が望むならと、私の持てる技術すべてを教え込もうと、そう考えてもいた。だが、私はやがて、そういった考えは間違っていたのではと、不安に感じるようになっていった。壁《かべ》に直面し、苦しがる亜里沙を見る度《たび》に、その不安は徐々に大きくなった。

不安を正直に口にすることは、これまでの私にはできなかった。それは私の弱さゆえだと、今は反省している。だからこそ、ここで、亜里沙にはっきりと尋ねたいことがある。

亜里沙。

フェンシングは、楽しいか？

亜里沙にとってフェンシングは、ただの重荷になってはいないか？

私はずっと不安だった。私が不甲斐《ふがい》ないせいで、亜里沙は好きでもないフェンシングを続けているのではないかと、そんなことばかり考えていた。歯を食いしばりながらフェンシングをする亜里沙の姿に、身を引き裂かれるような思いも味わった。

もう、全《すべ》てを白状しよう。私は指導者《しどうしゃ》として失格だ。亜里沙が苦しむ姿を見たくない一心で、私はいつしか、亜里沙をフェンシングから遠ざけたいと思うようになっていった。フェンシングの指導時も、誉《ほ》めるようなことは極力避けたし、とてもこなせないような要求ばかりを課《か》したりもした。それでもフェンシングに背を向けず、私の教えに必死に追《お》い縋《すが》ろうとする亜里沙を見て、大きな失望感を抱くこともしばしばあった。

亜里沙《アリサ》、私を恨むか？　こんなことをいまさら告白する私を、どうしようもない奴《やつ》だと罵《ののし》るだろうか？

どんなふうに思われようと、それは全《すべ》て私の弱さが招いた結果だ。自業自得だと思う。だが、一つだけわかって欲しい。私は不安と失望をもって亜里沙の成長を見守ってきたが、それは全て、亜里沙のことを想《おも》うがゆえのものだ。私はいい父親ではなかったろうが、娘である亜里沙のことを想う気持ちだけは、他《ほか》のどの父親にも負けはしないと自負している。


亜里沙、もう一度だけ聞こう。

フェンシングは、楽しいか？

もし、不甲斐《ふがい》ないこの父親のために、好きでもないフェンシングを続けているのだとしたら、もう無理をすることはない。フェンシングのことなど忘れて、亜里沙が本当に熱中《ねっちゅう》できるものを探して欲しい。

そうではなく、本当にフェンシングが好きだから続けていくということであれば、私がこれまで教えてきたことを忘れず、さらなる高みを目指して頑張って欲しい。私はフェンシングが楽しいだけのものではないことを知っているから、これまでと同じく、フェンシングを選択《せんたく》した亜里沙のことを不安と失望をもって見守っていくことになるかもしれない。だが、その眼差《まなざ》しの奥には、亜里沙に対する変わらぬ愛情があることを、私は約束しよう。

愛する亜里沙。

私はいつも見守っている。

自分の信じる道を進みなさい。』


手紙を読み終えたマヤマは、やがてボソリと呟《つぶや》いた。

『……ジルさんって、本当に亜里沙さんのことを愛してたんだね』

マヤマが読みやすいように手紙を広げて持っていた文伽《フミカ》は、その手紙を丁寧《ていねい》に封筒にしまいながら、

「ええ。そうみたいね」

と、いつも通りの素っ気ない返答をする。しかし、その声音《こわね》に僅《わず》かな喜色が滲《にじ》んでいるのを、付き合いの長いマヤマは見逃さない。

手紙をしまい終えた文伽は、体育館《たいいくかん》の中央で決勝戦の準備を整《ととの》えている亜里沙へと視線《しせん》を馳《は》せ、静かに言葉を発する。

「あそこに立っているということは、彼女は選《えら》んだのでしょうね。父親のためでも誰《だれ》のためでもなく、自分のためにフェンシングを続ける道を」

その言葉を聞いたマヤマは、うーんと一つ唸《うな》った後、どうしても気になったことを訊《たず》ねてみた。

『でもさ文伽《フミカ》、人間ってよく、〝守るべき者がいるから強くなれる〟みたいなことを言うじゃない。自分のために戦い出したら、亜里沙《アリサ》さんは弱くなるんじゃないの？』

「……マヤマ。あなた一体、どこからそんな胡乱《うろん》な情報を仕入れてくるの？」

『えっ？　僕、何か間違ったこと言った？　人間のこともっとよく知ろうと思って、日本人が大好きな漫画本をリサーチしてたんだけど、その中に書いてたよ？』

文伽は呆《あき》れたように小さく吐息した後、淡々と言葉を紡《つむ》ぐ。

「そういった強さもあるかもしれないけど、彼女にとっては逆効果よ。守るべき者の存在なんて、肩に余計な力が入るだけ。自分のために楽しんでフェンシングを続ける方が、断然強くなるわ」

『どうしてそう言い切れるの？』

そう訊ねたマヤマに対し、文伽は口許《くちもと》をふっと緩《ゆる》めた。そして、慈愛を滲《にじ》ませるような声音《こわね》で、優《やさ》しく告げる。

「……彼女はまだ、子供だからよ」

決勝戦の開始時刻が来たらしい。開始線《かいしせん》に立った亜里沙と湊《みなと》が、お互いに向かい合い、剣を用いての騎士道《きしどう》に則した礼を交わしていく。マヤマはその様子《ようす》を眺めながら、

『ねえ。文伽はどっちが勝つと思う？』

と問いかけてみた。すると文伽は、微《かす》かに肩を竦《すく》め、端的に答える。

「愚問ね」

その後に続く言葉を待ってみたが、文伽はそれ以上のことを言うつもりはないらしく、試合場に黙《だま》って視線を向けている。

やがて主審《しゅしん》が、向かい合う亜里沙と湊に、「構え《アン・ガルド》」と命じた。その声に従って、二人は半身になり膝《ひざ》を曲げると、お互いを指すように剣を構える。主審が次いで発した、「用意はよいか《エト・ヴ・プレ》」の問いかけに、亜里沙と湊は、ほとんど同時に答えた。

『はい《ウィ》』

その声には緊張感《きんちようかん》というよりも、抑さえ難《がた》い期待と興奮《こうふん》が満ちているように感じられた。マヤマは二人のその声を聞いた瞬間《しゅんかん》、先の質問を文伽が愚問だと一蹴《いっしゅう》した理由が、何となくわかったような気分になる。

二人の少女が放つ圧倒的な存在感に、観衆《かんしゅう》は例外なく引き込まれていった。館内《かんない》に満ちていた喧騒《けんそう》も徐々に静まっていき、代わりに数多《あまた》の視線が二人の許《もと》へと殺到していく。その中に紛れて、不器用だが、愛情に満ちた眼差《まなざ》しが一つ——。

やがて、主審の明朗な声が、試合の開始を高らかに告げた。

「――始め《アレ》！」

あとがき

あとがき、ですね。

あとがき、ですよ。

原稿をあげる際に最後の難関《なんかん》として立《た》ち塞《ふさ》がってくるのがこの『あとがき』です。本編《ほんぺん》の文章は書き終えてるんだし楽勝楽勝、なんて考えは決して持てませんね。苦手意識《いしき》を持っているということもありますが、印刷されてくる本文の最終的なチェック作業等の〆切《しめき》りとも度々《たびたび》重なるので、とことんまで頭を悩ませてくれる存在となっております。

しかしながらこの『あとがき』、なかなかに憎めない奴《やつ》でもあります。書こうとしても遅々として進まないので苦手な存在ではあるんですが、あとがきを書くこと自体はけっこう好きだったりもします。それに何より、この『あとがき』を通じて、直《じか》にお会いする機会《きかい》のない方々に感謝《かんしゃ》の言葉をお伝えすることができます。これはありがたいことです。『あとがき』は何と言うか……そうですねぇ。かき氷を食べた時、キーンとくる頭痛があるじゃないですか。あれと同じようなモノでしょうかね。体調《たいちょう》不良からくる頭痛なら願《ねが》い下げですが、かき氷のキーンに関してはノープロブレムです。それどころか、「くう～、来た来たぁ！」と、何やらかき氷を美味《おい》しく食べるための一要因として確固《かっこ》たる地位を築いていたりもします。ううむ、アレは憎めません。憎めませんよ。

……………くっ。前置きで行数を稼《かせ》ぐのもここいらが限界か。

それでは、憎めない存在である『あとがき』、愛着を持ってゴリゴリと書かせて頂きます。

こんにちは。雨宮諒《あまみやりょう》と申します。

——さてと。

新作ですし、まずは本書の紹介から…………などという常道からは今回外れてみましょう。横道に入ってみたら近道だった、といった感じで一足飛びに続刊のＣＭをば。

ええ、そうなんですよ。実は『シゴフミ』続刊の企画が既に立ち上がっていたりします。本書を読んで気に入ってくださった方は、やがて生まれ出る二巻も可愛《かわい》がって頂けると嬉《うれ》しいです。ちなみに発売予定は——

来年二月！

——はい。今ここに清水《きよみず》の舞台《ぶたい》から飛び降りたアホウドリがいます。発売予定なんかハッキリ書かなきゃいいんです。首は自《みずか》ら絞《し》めるために存在するのではなく、基本的に弱い部分なので守り抜くべき箇所なんです。それでも書くのは確信《かくしん》を抱いた勝算ゆえではなく、今年《ことし》に入ってまともに〆切りを守ったことがないという、担当様に対する後ろめたさからくる八方破れの勇気ゆえです。たとえ一ヶ月で一冊分の原稿を書かなければ間に合わないような危機的状況だとしても、お天道様《てんとさま》に顔向けできるようになるためには書かねばならぬのです。

……ああでも、アホウドリは飛べますから。地面すれすれになったらスイッと上昇して、何事もなかったかのように〆切り《しめき》延長してもらうこともあったり。自然、発売日が延期になることもあったり。そんな時は読者の皆様、かき氷のキーンと同様、こめかみを押さえつつも何やかんやでお許し頂ければと。平に、平にご容赦を。

憎めない奴《やつ》である『あとがき』も、いつの間にやらページが足りなくなりそうなほどに埋まってました。こういうところも憎めない奴たる所以《ゆえん》でしょうか。

担当様。イラストレーターのポコ様。本書の出版にご尽力頂いた全《すべ》ての方々。どうもお疲れ様でした。ありがとうございます。そして、応援してくれる家族・友人にも心からの感謝《かんしゃ》を。

最後になりましたが、本書を手にとってくださっている読者の皆様、本当にありがとうございます。自分は右も左もわからないアホウドリなわけですが、皆様の応援のおかげで、クチバシの先を目指して飛べば後退だけはしないだろう、くらいのことは何となくわかってきたのではと思います。ありがたいことです。これからものんびり頑張りますので、応援して頂ければと思います。

それではこのへんで。

あとがき、おわり！

◉雨宮　諒著作リスト

「シュプルのおはなし　Grandpa's Treasure Box」（電撃文庫）
「シュプルのおはなし2　Grandpa's Treasure Box」（同）
「シュプルのおはなし3　Grandpa's Treasure Box」（同）
「夏月の海に囁く呪文」（同）

本書に対するご意見、ご感想をお寄せください。

■

あて先

〒101-8305 東京都千代田区神田駿河台1-8 東京YWCA会館
メディアワークス電撃文庫編集部
「雨宮　諒先生」係
「ポコ先生」係

■

電撃文庫

シゴフミ

~Stories of Last Letter~

雨宮《あまみや》 諒《りょう》

原案：湯澤友楼

発　行　二〇〇六年十月二十五日　初版発行

発行者　久木敏行

発行所　株式会社メディアワークス
〒一〇一-八三〇五　東京都千代田区神田駿河台一-八
東京ＹＷＣＡ会館
電話〇三-五二八一-五二〇七（編集）

発売元　株式会社角川書店
〒一〇二-八一七七　東京都千代田区富士見二-十三-三
電話〇三-三二三八-八六〇五（営業）

装丁者　荻窪裕司（META＋MANIERA）

印刷・製本　加藤製版印刷株式会社

ISBN4-8402-3591-0 C0193

電撃文庫創刊に際して

　文庫は、我が国にとどまらず、世界の書籍の流れのなかで〝小さな巨人〟としての地位を築いてきた。古今東西の名著を、廉価で手に入りやすい形で提供してきたからこそ、人は文庫を自分の師として、また青春の想い出として、語りついできたのである。

　その源を、文化的にはドイツのレクラム文庫に求めるにせよ、規模の上でイギリスのペンギンブックスに求めるにせよ、いま文庫は知識人の層の多様化に従って、ますますその意義を大きくしていると言ってよい。

　文庫出版の意味するものは、激動の現代のみならず将来にわたって、大きくなることはあっても、小さくなることはないだろう。

「電撃文庫」は、そのように多様化した対象に応え、歴史に耐えうる作品を収録するのはもちろん、新しい世紀を迎えるにあたって、既成の枠をこえる新鮮で強烈なアイ・オープナーたりたい。

　その特異さ故に、この存在は、かつて文庫がはじめて出版世界に登場したときと、同じ戸惑いを読書人に与えるかもしれない。

　しかし、〈Changing Time, Changing Publishing〉時代は変わって、出版も変わる。時を重ねるなかで、精神の糧として、心の一隅を占めるものとして、次なる文化の担い手の若者たちに確かな評価を得られると信じて、ここに「電撃文庫」を出版する。

1993年6月10日
角川歴彦

電撃文庫

シゴフミ ～Stories of Last Letter～
雨宮 諒
イラスト／ポコ
ISBN4－8402－3591－0

鍔付き帽子に、がま口の鞄。喋る不思議な杖を持つ少女が届けるのは、黒い切手の貼られた手紙。それは想いを残して逝った人があなたに宛てた死後文《シゴフミ》――。

あ-17-5 1337

夏月の海に囁く呪文
雨宮 諒
ISBN4－8402－3216－4

夢久島という島に暮らす修一。学校生活に馴染めない自分を自覚しつつ〝普通〟に振舞っている。ある日、都心から一人の女性が島にやってくる。そして……。

あ-17-4 1178

シュプルのおはなし Grandpa's Treasure Box
雨宮 諒
イラスト／丸山 薫
ISBN4－8402－2660－1

本を読む事が大好きなシュプルは、おじいちゃんの宝箱を見つける。そして、その中の宝物に纏わる話を紡ぎだす。第10回電撃小説大賞〈選考委員奨励賞〉受賞作。

あ-17-1 0926

シュプルのおはなし2 Grandpa's Treasure Box
雨宮 諒
イラスト／丸山 薫
ISBN4－8402－2752－7

道に迷ったシュプルとムルカは古びた館に辿り着く。親切に迎え入れてくれた住人。しかし、夜中になり……。（『うしろの正面、だぁれ？』）他全5話収録。

あ-17-2 0970

シュプルのおはなし3 Grandpa's Treasure Box
雨宮 諒
イラスト／丸山 薫
ISBN4－8402－2907－4

サーカス団に憧れてやっと入団できた新米ピエロのシュプルは、年老いたライオンと組んだ演目を任されることになった。しかし……。（「キング」）他全4話収録。

あ-17-3 1037

電撃文庫

キノの旅 the Beautiful World

時雨沢恵一
イラスト／黒星紅白

ISBN4－8402－1585－5

『世界は美しくなんかない、でもそれ故に美しい』——短編連作の形で綴られる人間キノと言葉を話す二輪車エルメスの旅の話。今までにない新感覚ノベル。

し-8-1　0461

キノの旅Ⅱ the Beautiful World

時雨沢恵一
イラスト／黒星紅白

ISBN4－8402－1632－0

人間キノと言葉を話す二輪車エルメスの旅の話。短編連作の形で綴られる、新感覚ノベル第2弾！　大人気黒星紅白描き下ろしのカラーイラスト満載!!

し-8-2　0487

キノの旅Ⅲ the Beautiful World

時雨沢恵一
イラスト／黒星紅白

ISBN4－8402－1709－2

キノとエルメスがまだ師匠の許にいたころ。キノたちが暮らすところに3人の山賊達がやって来た!?（「説得力」）他全6話を収録。話題の新感覚ノベル第3弾！

し-8-3　0515

キノの旅Ⅳ the Beautiful World

時雨沢恵一
イラスト／黒星紅白

ISBN4－8402－1844－7

ある国にきたキノとエルメスは、激しいケンカをしている男女を見かけるが……。（「二人の国」）他、全11話を収録。話題の新感覚ノベル第4弾！

し-8-4　0440

キノの旅Ⅴ the Beautiful World

時雨沢恵一
イラスト／黒星紅白

ISBN4－8402－2013－1

ある国に向かっていたキノとエルメスは、男と出会う。その男は一緒に行こうと言い、キノはキッパリと断った、そして!?（「人を殺すことができる国」）他全10話。

し-8-5　0627

電撃文庫

キノの旅VI the Beautiful World
時雨沢恵一
イラスト／黒星紅白
ISBN4－8402－2155－3

出国待ちのキノとエルメスは一人の男と出会う。その男は過去の殺人の許しを乞うために、これから一人の女性と旅に出ると言う。（『彼女の旅』）他全11話収録。

し-8-7 0695

キノの旅VII the Beautiful World
時雨沢恵一
イラスト／黒星紅白
ISBN4－8402－2386－6

キノとエルメスは〝動いている国〟に出会い入国する。その国が進む先には〝道をふさいでいる国〟があった。そして……。（「迷惑な国」）他全8話収録。

し-8-9 0796

キノの旅VIII the Beautiful World
時雨沢恵一
イラスト／黒星紅白
ISBN4－8402－2832－9

キノとエルメスが訪れた国は、全ての国民に〝眼鏡〟の着用が義務づけられていた。その〝眼鏡〟とは……。（『悪いことはできない国』）他全8話収録。イラストも満載。

し-8-12 1000

キノの旅IX the Beautiful World
時雨沢恵一
イラスト／黒星紅白
ISBN4－8402－3172－9

一人の女性と出会ったキノとエルメス。その女性は作家で、旅の話を聞かせてくれたらいくらでもご馳走すると言うのだが……。（「作家の旅」）他全15話収録。

し-8-15 1153

キノの旅X the Beautiful World
時雨沢恵一
イラスト／黒星紅白
ISBN4－8402－3580－5

キノとエルメスは、訪れた国で〝歌姫〟の歌を聴く。とても気に入ったキノ。その歌姫は全国民からも愛されていて……。（『歌姫のいる国』）他全11編を収録予定。

し-8-19 1326

電撃文庫

学園キノ

時雨沢恵一
イラスト／黒星紅白

ISBN4－8402－3482－5

「キノの旅」ファンは絶対に読んではいけない！　時雨沢恵一＆黒星紅白による衝撃の問題作!?　素晴らしきエンタテイメントパロディー小説が遂に登場!!

し-8-18　1283

彼女は帰星子女

上野 遊
イラスト／あかざ

ISBN4－8402－3183－4

「異星種族トリオンとの国交樹立！」それは、僕には直接関係ない「大ニュース」のハズだった。我が家にトリオンの血を引く美少女がやってくるまでは……。

う-3-1　1164

彼女は帰星子女2

上野 遊
イラスト／あかざ

ISBN4－8402－3350－0

ようやく芹沢家の一員として生活を始めた絹。しかしいつまで経っても〝お客さん〟扱いされることにイライラの毎日。そんなある日、掛橋市を豪雨が襲い……。

う-3-2　1236

彼女は帰星子女3

上野 遊
イラスト／あかざ

ISBN4－8402－3453－1

ついに望に告白することを決意した穂高に、絹の心は揺れる。一方、情報局の星子は反トリオン過激派が日本を標的にしているとの情報を掴むが……。

う-3-3　1280

彼女は帰星子女4

上野 遊
イラスト／あかざ

ISBN4－8402－3590－2

望の負傷に責任を感じ芹沢家を出た絹の行方を、必死に捜す望。だが絹はトリオンの宇宙船団へ帰ることを決意しており……人気シリーズ、いよいよ完結!!

う-3-4　1336

電撃文庫

バッカーノ！ The Rolling Bootlegs

成田良悟
イラスト／エナミカツミ
ISBN4－8402－2278－9

第9回電撃ゲーム小説大賞〈金賞〉受賞作。マフィア、チンピラ、泥棒カップル、そして錬金術師——。不死の酒を巡って様々な人間たちが繰り広げる〝バカ騒ぎ《バッカーノ》〟！

な-9-1　0761

バッカーノ！ 1931 鈍行編 The Grand Punk Railroad

成田良悟
イラスト／エナミカツミ
ISBN4－8402－2436－6

大陸横断鉄道に3つの異なる極悪集団が乗り合わせてしまった。そこに、あの馬鹿ップルを始め一筋縄ではいかない乗客達が加わり……これで何も起こらぬ筈がない！

な-9-2　0828

バッカーノ！ 1931 特急編 The Grand Punk Railroad

成田良悟
イラスト／エナミカツミ
ISBN4－8402－2459－5

「鈍行編」と同時間軸で視点を変えて語られる「特急編」。前作では書かれなかった様々な謎が明らかになる。事件の裏に蠢いていた〝怪物〟の正体とは——。

な-9-3　0842

バッカーノ！ 1932 Drug & The Dominos

成田良悟
イラスト／エナミカツミ
ISBN4－8402－2494－3

新種のドラッグを強奪した男。男を追うマフィア。マフィアに兄を殺され復讐を誓う少女。少女を狙う男。運命はドミノ倒しの様に連鎖し、そして——。

な-9-4　0856

バッカーノ！ 2001 The Children Of Bottle

成田良悟
イラスト／エナミカツミ
ISBN4－8402－2609－1

三百年前に別れた仲間を探して北欧の村を訪れた四人の不死者たち。そこで不思議な少女と出会い——。謎に満ちた村で繰り広げられる、『バッカーノ！』異色作。

な-9-6　0902

電撃文庫

バッカーノ！1933〈上〉THE SLASH ～クモリノチアメ～

成田良悟
イラスト／エナミカツミ

ISBN4－8402－2787－X

奴らは無邪気で残酷で陽気で残酷で優しくて残酷で天然で残酷で——そして斬るのが大好きで……。刃物使い達の死闘は雨を呼ぶ。それは、嵐への予兆——。

な-9-10　0990

バッカーノ！1933〈下〉THE SLASH ～チノアメハ、ハレ～

成田良悟
イラスト／エナミカツミ

ISBN4－8402－2850－7

再び相見える刃物使いたち。だが彼らの死闘《バッカーノ》はもっと危ない奴らを呼び寄せてしまった。血の雨が止む時、雲間から覗く陽光を浴びるのは誰だ——？

な-9-11　1014

バッカーノ！1934 獄中編 Alice In Jails

成田良悟
イラスト／エナミカツミ

ISBN4－8402－3585－6

泥棒は逮捕され刑務所に。幹部は身代わりで刑務所に。殺人狂は最初から刑務所に。アルカトラズ刑務所に一筋縄ではいかない男達が集い、最悪の事件の幕が開ける。

な-9-19　1331

〝不思議〟取り扱います 付喪堂骨董店

御堂彰彦
イラスト／タケシマサトシ

ISBN4－8402－3594－5

ここは不思議な骨董店。扱う品は変わった物ばかり。たとえば書いた事は忘れなくなるノートというと信じられますか？気になる方はぜひお立ち寄りください。

お-9-4　1333

二四〇九階の彼女

西村 悠
イラスト／高階@聖人

ISBN4－8402－3592－9

サドリは相棒のカエルとともに塔を降りる。「彼女」との約束を果たすため、海を目指して、狂いを生じた世界を抜けていく——。優しくて残酷な、神様と世界のお話。

に-4-1　1338

電撃文庫

空ノ鐘の響く惑星《ほし》で

渡瀬草一郎
イラスト／岩崎美奈子

ISBN4−8402−2487−0

鐘の音を鳴らす月、謎に満ちた御柱、そしてそこから現われた謎の少女……。全ての歯車がかみ合い、第四王子フェリオ・アルセイフの運命が動き出す——。

わ-4-11　0849

空ノ鐘の響く惑星《ほし》で②

渡瀬草一郎
イラスト／岩崎美奈子

ISBN4−8402−2603−2

王と王太子を同時に失った国家で不穏な空気が流れ出す。その中でフェリオの決断は？　一方、この世界に〝まぎれこんだ〟来訪者達も行動を開始……！

わ-4-12　0896

空ノ鐘の響く惑星《ほし》で③

渡瀬草一郎
イラスト／岩崎美奈子

ISBN4−8402−2686−5

ついに即位を宣言した第二王子レージク。だが、その即位に対して、抵抗するものが現われ……。一方、抵抗勢力の領袖とみなされているフェリオは——！

わ-4-13　0934

空ノ鐘の響く惑星《ほし》で④

渡瀬草一郎
イラスト／岩崎美奈子

ISBN4−8402−2758−6

即位を表明したレージクに対して、翻った叛旗。その中心人物として祭り上げられたフェリオは徐々に能力を示し始めた——！　SFファンタジー、第4弾！

わ-4-14　0976

空ノ鐘の響く惑星《ほし》で⑤

渡瀬草一郎
イラスト／岩崎美奈子

ISBN4−8402−2846−9

内乱が収まったのも束の間、司教カシナートによってフォルナム神殿が制圧されてしまう。ウルクはフェリオのため政治的解決を図ろうとするが……。

わ-4-15　1010

電撃文庫

空ノ鐘の響く惑星《ほし》で⑥

渡瀬草一郎
イラスト／岩崎美奈子

ISBN4-8402-2938-4

ウルクの記憶喪失に動揺するフェリオの元にさらに悪い知らせ――タートム侵攻の報が。また来訪者の中にこの星の歴史に疑問を持つ者が現れ――!?

わ-4-16　1053

空ノ鐘の響く惑星《ほし》で⑦

渡瀬草一郎
イラスト／岩崎美奈子

ISBN4-8402-3084-6

御柱から現れた〝謎の兵団〟に苦戦を強いられるフェリオ達。戦場と化したフォルナム神殿を前に、コウ司教が下した重大な決断とは――？　シリーズ第7弾！

わ-4-17　1117

空ノ鐘の響く惑星《ほし》で⑧

渡瀬草一郎
イラスト／岩崎美奈子

ISBN4-8402-3181-8

タートム侵攻の報を受け国境へ先行したベルナルフォンは、老将バロッサの協力を得るが苦戦を強いられる。戦況を打破するために現れた援軍は意外にも――!?

わ-4-18　1162

空ノ鐘の響く惑星《ほし》で⑨

渡瀬草一郎
イラスト／岩崎美奈子

ISBN4-8402-3241-5

平和を取り戻したアルセイフの王都で、舞踏会が開かれる。フェリオの〝正妻候補〟に人々の関心が集まるが、そこには謎の仮面の男が潜入していた――!!

わ-4-19　1190

空ノ鐘の響く惑星《ほし》で⑩

渡瀬草一郎
イラスト／岩崎美奈子

ISBN4-8402-3348-9

アルセイフを離れジラーハを訪れたフェリオ達は、神姫との面会を許される。神姫、そして〝神姫の妹〟ウルクを前にフェリオは――!?　人気シリーズ第10弾!!

わ-4-20　1234